LIFE LE MONDE VIVANT

LES MONTAGNES

LIFE LE MONDE VIVANT

LES MONTAGNES

par Lorus J. MILNE et Margery MILNE
et les Rédacteurs de LIFE

COLLECTIONS LIFE

LES AUTEURS

Lorus J. Milne et Margery Milne ont acquis leur connaissance de la terre et de la vie à l'état naturel grâce aux observations personnelles qu'ils firent au cours de 584 000 kilomètres de voyage autour du globe. Ils se connurent à Harvard où Lorus Milne, canadien de naissance, préparait son doctorat de biologie. Mrs. Milne préparait le même diplôme, dans la même discipline. Lorus Milne est maintenant professeur à l'Université du New Hampshire où Mrs. Milne a également enseigné. Ils ont fait de très nombreuses conférences et ont collaboré aux revues *The Atlantic Monthly, The American Scholar, Audubon Magazine, Natural History* et *Scientific American.* Leurs livres ont été traduits en plusieurs langues, et comprennent *The Balance of Nature, Plant Life, Animal Life, Paths across the Earth, The World of Night, The Mating Instinct, The Biotic World and Man,* et *A Multitude of Living Things.*

Cet ouvrage, réalisé par les départements littéraire, artistique et scientifique de LIFE, a été traduit de l'américain par Françoise Cousteau.

COUVERTURE :
Accrochés aux versants, à la limite de la forêt, sous le sommet enneigé du Mont Baker, dans l'État de Washington, sont disséminés des alignements de sapins, des touffes d'airelles et des érables couverts de gelée.

Table des Matières

COLLECTIONS TIME/LIFE

Rédacteur en chef
Maitland A. Edey

Chef correcteur   Directeur artistique
William Jay Gold   *Edward A. Hamilton*

Chef documentaliste
Beatrice T. Dobie

LIFE Le Monde Vivant

LES MONTAGNES

Rédacteur en chef : *Maitland A. Edey*

Adjoints au Rédacteur en chef : *George Mc Cue, John Paul Porter*

Chef documentaliste : *Martha Turner*

Préface

Dans un ouvrage consacré à la montagne, il est aisé de frapper les esprits non avertis car la montagne par quelque côté qu'on la considère compose un univers passionnant. Tout s'y propose sous forme d'aventure. On y trouve étalées comme en un roman les traces des bouleversements géologiques, on y est témoin de phénomènes naturels, on y rencontre une faune et une flore tout à fait particulières, on y jouit de spectacles effrayants ou enchanteurs, l'esprit sans cesse sollicité par une nature en crise, comme dénudée, entrailles offertes aux regards des savants qui expliquent la plaine et le monde en observant cette matière écorchée.

Mais ces savants n'ont pas encore eu l'idée, faute de recul évidemment, d'étudier l'observateur, d'analyser les rapports si contradictoires qu'entretiennent avec la montagne ces petites fourmis qui parcourent ses flancs en toutes saisons et qui ont forme humaine, à l'accoutrement près. Phénomène étonnamment récent si l'on considère, dans les siècles des siècles, l'importance de son développement à venir. Nos pères, il y a seulement quelques décades, ont lancé le mouvement et nous sommes, nous, de tous âges mais vivants, ceux qui l'ont établi dans une forme qui appartient désormais à l'histoire. Mouvement touristique, sportif, économique qui a pris l'allure d'une révolution. Les paysans des montagnes qui vivaient durement d'une nature hostile sont devenus moniteurs, hôteliers, techniciens de barrage ou de téléphérique, les uns et les autres débordés par une offre en état de surenchère permanent.

Cette révolution ne s'est pas déclenchée n'importe quand et n'importe où. Si l'on suit dans cette perspective le jeu de bascule que l'histoire et la géographie se plaisent à entretenir perpétuellement, il est remarquable que les pionniers représentent toujours les nations parvenues à un haut degré de civilisation. Il faut avoir chaud chez soi pour être attiré par le froid des neiges et le désert des hautes altitudes. Les populations de notre terre pour qui le temps du luxe n'est pas encore arrivé en sont là où nous, Européens et autres peuples évolués, étions il y a un demi-siècle, époque où l'exode des populations urbaines vers la montagne d'été ou d'hiver n'était pas encore un fait social : montagne obstacle, montagne terrorisante, montagne laide, demeure de dieux généralement malveillants. Nombreux sont les peuples qui n'ont pas opté délibérément pour le monde de la sécurité première et, signe certain, ne comptent ni alpinistes ni skieurs.

Ainsi tout se passe comme si la montagne était une couronne qui se gagne durement. A l'instar des alpinistes, chaque civilisation doit pas à pas gravir la pente qui conduit au sommet, point critique où tout s'apaise, où tout commence, où le regard de l'homme s'arrache d'un sol enfin domestiqué.

Maurice HERZOG

1

La terre
et son relief

L'EXISTENCE même des montagnes est un fait extraordinaire, le plus extraordinaire peut-être de leur histoire. Pourquoi se trouvent-elles où elles sont ?
Elles n'existaient pas lorsque la terre était jeune et peut-être n'existeront-elles
plus lorsqu'elle sera vieille. Lorsque faiblira le pouls de la planète, lorsque ses
feux s'éteindront et que ses océans se prendront en glace, les pics éternels auront
peut-être disparu. Et s'il demeure des aspérités que l'on puisse dénommer
Montagnes, ce ne seront probablement que des bosses usées et certainement
pas les vestiges des massifs que nous connaissons aujourd'hui. Ce seront leurs
petits-enfants : séparés des Montagnes que l'on appelle actuellement jeunes,
Montagnes Rocheuses, Alpes et Himalaya, par 5, 10 ou peut-être 20 générations.
Où surgiront ces descendants, ces escarpements imprécis de l'avenir ? Nul ne
le sait.

Ce qui est certain, c'est que sous la poussée de forces profondes venant du
sein de la terre, depuis l'apparition du premier pic granitique il y a quelque
3 milliards d'années, des Montagnes se sont soulevées et il continuera d'en être
ainsi pendant un temps au moins aussi long dans l'avenir. La vie d'une Montagne
est comparable à celle d'un patriarche. Elle naît, elle connaît une jeunesse vigoureuse, une longue maturité, une vieillesse plus longue encore et, finalement,

9

usée, elle disparaît. Cette évolution prend du temps mais l'univers regorge de temps; des millions d'années de la vie d'une planète équivalent à quelques jours de la vie d'un homme. Et, comparée à la masse totale du corps terrestre d'où elle surgit, une Montagne a environ la taille d'un très petit bouton sur une nuque humaine. Toujours dans les mêmes termes de comparaison, elle dure à peu près le même laps de temps.

Cette connaissance est relativement récente. Depuis que la pensée de l'homme s'y est arrêtée, les Montagnes lui ont paru sans âge, simple partie de ce merveilleux et vaste acte de création que chaque civilisation, chaque croyance explique à sa façon. Il y a deux cents ans seulement, le rationaliste et le sceptique qu'était Voltaire considérait comme absurde le point de vue de son ami, le comte de Buffon, qui prétendait que les plus petites élévations de terrain n'avaient peut-être pas toujours existé en France. Buffon était particulièrement préoccupé par les coquillages qu'il avait retrouvés ensevelis dans les roches des Montagnes françaises. Comment étaient-ils arrivés là ? Après les avoir examinés, il s'était peu à peu convaincu que des animaux marins avaient vécu jadis à l'emplacement même des Montagnes d'alors. Il supposa que, recouverts de sédiments tendres, ces coquillages avaient été conservés dans les roches des mers peu profondes, puis, qu'ultérieurement, ces roches avaient été soulevés bien au-dessus de leur ancien niveau. Billevesées, répondait Voltaire; des pèlerins venus des rivages marins avaient transporté les coquillages au sommet de la Montagne et les y avaient laissés; les coquillages s'étaient trouvés enterrés dans la boue après les pluies. Les deux hommes défendirent âprement leur point de vue respectif et leur amitié s'en trouva altérée.

A l'époque de Buffon, la science qu'est la géologie en était encore à ses balbutiements et cent ans devaient s'écouler avant que naquît la théorie de l'évolution. Malgré cela, les savants de ce temps possédaient une connaissance remarquablement précise du système solaire. Ils savaient, à 4 ou 5 % près, quelles étaient les dimensions de la terre. Ils avaient déterminé avec une exactitude identique sa distance par rapport au soleil, la durée d'une année, les dimensions et la nature de la lune et le comportement de la plupart des planètes. Grâce à Isaac Newton, ils avaient même une explication de la force qui maintenait le système tout entier. Ils en savaient beaucoup moins sur la terre qu'ils avaient sous les pieds. Nathaniel Hawthorne, il y a un siècle, ne se doutait pas qu'il se permettait une licence poétique lorsqu'il écrivait : « Les Montagnes sont les monuments impérissables de la terre ».

Mais, de plus en plus, on a creusé, passé au crible, comparé. Les Montagnes elles-mêmes proposent d'innombrables indices sur leur origine, tout simplement parce qu'elles se dressent, très hautes, et qu'elles offrent à notre étude de très nombreuses couches de roches intéressantes et des fossiles étranges. L'idée qu'elles surgissent et qu'elles meurent comme des champignons n'apparaît plus aujourd'hui ridicule. Il nous est possible de les voir s'éroder sous nos yeux. Nous en avons la preuve tout autour de nous. Nous les voyons s'user. Les forces irréversibles de l'érosion et de la gravité les nivellent sans relâche, aussi promptement qu'elles ont été soulevées. Nous avons appris qu'il existait quatre types essentiels de formation de Montagnes. Nous commençons à comprendre que le déplacement de grandes masses de roche et de sable vers les océans entraîne certaines instabilités dans la croûte terrestre et que celles-ci provoquent de nouveaux soulèvements ailleurs. Nous supposons également que toutes les Montagnes sont soutenues par des Montagnes « renversées » qui pénètrent profondément dans la terre. En bref, nous savons en grande partie *ce qui* se passe. *Pourquoi* et de *quelle façon* cela se passe-t-il sont des points plus complexes qui seront abordés dans le prochain chapitre.

Toutefois, que ces montagnes s'élèvent ou s'affaissent, il nous faut tenir compte de leur existence. Tout continent possède les siennes et les a probablement toujours possédées, mais peut-être pas là où nous les voyons aujourd'hui. La rapidité de leur formation ou de leur affaissement varie, bien entendu, selon le temps et l'emplacement. Nous n'en connaissons presque rien actuellement car les appareils de mesure de précision sont d'invention très récente et il ne s'est tout simplement pas écoulé assez de temps pour que la hauteur de la plupart d'entre elles (les volcans exceptés) se soit suffisamment modifiée pour permettre à l'homme d'en enregistrer les différences. Les pics montagneux de Norvège et de Suède semblent grandir au rythme de 60 centimètres par siècle. Cela parce que toute la péninsule scandinave, libérée du poids écrasant des glaciers qui la recouvrirent pendant la glaciation, se relève. La mission britannique qui mesura pour la première fois avec précision l'Éverest, en 1852, lui trouva une hauteur de 8 845, 60 mètres. C'est, comme le sait tout écolier, le point le plus élevé du globe. Cependant, on s'aperçut qu'il avait 8 mètres de plus lorsqu'il fut à nouveau mesuré en 1954 par un groupe d'Indiens. Avait-il autant grandi en cent ans ? Il est difficile de le dire, car mesurer une Montagne, même avec les meilleurs instruments, n'est pas une opération facile. Comme l'explique Ferdinand Lane, expert en la matière, les mesures ne peuvent être effectuées qu'optiquement, par une délicate enquête géodésique qui ne peut être exacte que si la base est absolument plane. On peut se servir d'un niveau à bulle ou d'un fil à plomb, mais à aucun des deux procédés il n'est possible d'accorder un plein crédit parce que la grande masse de la Montagne elle-même possède une force d'attraction gravitationnelle qui peut faire dévier le fil d'une fraction infime mais non négligeable. Par ailleurs, la terre n'est pas absolument ronde, étant plus épaisse à la hauteur de l'équateur qu'au niveau des pôles de près de 43,5 kilomètres, et c'est là une particularité dont il faut tenir compte. L'atmosphère enfin joue parfois des tours avec les rayons lumineux. Les mesures prises le matin du Dhaulaghiri, d'un même point du massif himalayen, variaient de plus de 150 mètres sur les mesures prises l'après-midi.

Ainsi, toute évaluation de la hauteur d'une Montagne importante peut conduire à une erreur allant de 2 à quelques centaines de mètres. Le fait est illustré par la façon dont fut déterminée la hauteur « officielle » de l'Éverest. Les mesures furent effectuées de six points différents. Aucune n'était semblable, la plus basse étant 8 842 mètres et la plus élevée 8 853 mètres. On fit la moyenne des six évaluations et l'on trouva exactement 8 845 mètres. Se refusant à publier un chiffre qui paraissait plus une approximation qu'une mesure exacte, les experts ajoutèrent arbitrairement 60 centimètres pour que le chiffre officiel soit plus véridique.

QUELLE que soit son altitude exacte, l'Éverest est toujours la plus haute Montagne du globe. Actuellement, aucun point sur terre n'est plus élevé malgré les rapports persistants d'aviateurs de la Seconde Guerre mondiale sur l'existence d'un sommet de près de 9 000 mètres en Chine occidentale. On sait maintenant qu'il s'agissait de l'Amne Machin et que cette Montagne se trouve située dans une chaîne atteignant 7 500 mètres. Savoir si l'Éverest demeurera la plus haute des Montagnes est une toute autre question. Avec le temps, évidemment, elle s'usera et sera dépassée par des cimes qui ne sont pas encore nées. Il est impossible de prévoir à quelle hauteur celles-ci s'élèveront. Il n'existe jusqu'ici aucune limite connue au soulèvement d'une masse de roche et un pic de 10 000 mètres ou de 12 000 mètres reste parfaitement possible. En fait, des sommets de cet ordre de grandeur ont parfaitement pu exister dans le passé.

L'altitude elle-même est toute relative : tout dépend de qui la considère et de l'élévation des hauteurs avoisinantes. Ainsi les Watchung mountains dans le

New Jersey, n'ont que 120 à 150 mètres d'altitude alors que certains sommets himalayens sont méprisés et considérés comme d'insignifiantes collines, tellement insignifiantes que nul ne s'est jamais soucié de leur donner un nom. Oubliant un instant la définition du Larousse : « Montagne, forme de relief caractérisée par son altitude relativement élevée », on peut avoir une bonne représentation des régions terrestres en choisissant arbitrairement une altitude raisonnable, 900 mètres par exemple, et en inondant imaginairement la planète jusqu'à cette hauteur. Nous voyons alors ce qui émerge encore de la surface de l'eau. Le résultat apparaît sur les gravures des pages 44 et 45 de ce livre, et il révèle un fait des plus intéressants. A quelques exceptions près, les Montagnes du globe s'étendent en larges chaînes, ou cordillères. Dans l'hémisphère occidental, les cordillères se situent comme une arête dorsale, de l'Alaska à la Terre de Feu. La cordillère de l'Amérique du Nord, qui se poursuit par la Cordillère des Andes en Amérique du Sud, englobe les complexes montagneux des États-Unis : les chaînes côtières, la Sierra Nevada et la Chaîne des Cascades, le Grand Bassin et les Montagnes Rocheuses. Les cordillères eurasiennes sont plus complexes, avec trois chaînes divergeant d'un point central situé dans les Montagnes du Pamir, au centre sud de l'Union Soviétique. L'une de ces chaînes s'oriente vers l'ouest, traversant l'Asie Mineure puis le sud de l'Europe et donnant naissance aux Atlas, en Afrique du Nord. Une autre, qui inclut le massif himalayen, se dirige vers le sud-est; partant du Pamir, elle traverse l'Asie, l'Insulinde, l'Australie et la Nouvelle-Zélande. La troisième chaîne est orientée nord-est jusqu'au détroit de Béring et rejoint la cordillère américaine. En Afrique, les régions orientales élevées, suivant la zone des grandes vallées de fracture, bien qu'impressionnantes, ne sont pas considérées comme une cordillère majeure tant par leur structure que par leur forme. En dehors de ces formations essentielles les autres chaînes de Montagnes sont, par comparaison, insignifiantes.

Plus d'un quart de la surface actuelle de la terre, 143 000 000 kilomètres carrés, se situe à plus de 900 mètres d'altitude. Le Tibet, dont les frontières sont toutes des régions de Montagnes, a une altitude *moyenne* de 4 500 mètres, c'est-à-dire supérieure aux six plus hauts sommets d'Europe et à tous les sommets des États-Unis sauf trois, encore ceux-ci se trouvent-ils en Alaska.

LES Montagnes ont un effet profond sur le sol et sur l'histoire de toute vie. Au sol, elles fournissent tout d'abord les matières premières. La surface initiale de la planète, durcie en continents, était probablement une roche granitique légère. La meilleure façon de désagréger cette roche consistait à la soulever assez haut pour que des morceaux pussent s'en détacher sous l'action de l'eau et du vent. Pour que l'eau ait une action érosive, pour qu'elle dévale le lit d'un torrent ou d'un cagnon, entraînant des fragments de roche et les réduisant en sable et en poussière, il faut qu'il y ait quelque chose de ressemblant au versant d'une Montagne. Ces forces s'associent à l'érosion chimique et au gel ainsi qu'à l'action infime, mais directe, des gouttes de pluie elles-mêmes.

Ces minuscules particules ainsi créées constituèrent jadis les matériaux fins et lâches où les plantes primitives émergeant de l'eau des mers purent développer leurs filaments. Ces mêmes matériaux offrirent des surfaces et des fissures à des myriades de bactéries et de petits organismes qui purent y pénétrer et y mourir, enrichissant lentement la roche stérile des débris de leurs corps et créant l'humus qui, avec une rapidité croissante et grâce aux plantes et aux animaux, allait progressivement envahir la terre en partant de la mer. Si les surfaces sèches de la terre étaient demeurées des roches solides, la vie serait rare aujourd'hui ici-bas. Elle n'aurait jamais pu se développer avec la richesse et la variété qui sont maintenant les siennes et l'homme ne serait pas là.

Les Montagnes affectent le cours de la vie à d'autres égards. Elles ont une influence considérable sur le temps puisqu'elles arrêtent l'ordonnance de la

CES TROIS ACHILLÉES, jadis identiques, mais évoluant maintenant vers trois types particuliers, montrent comment les plantes s'adaptent à des milieux différents. La première, cueillie au niveau de la mer, bénéficie de neuf mois de développement et doit avoir une grande tige et de larges feuilles pour rivaliser avec les autres plantes à croissance rapide. La seconde, cueillie à 1 500 mètres d'altitude et bénéficiant d'une saison de croissance plus courte, a perdu moins d'énergie pour sa tige et ses feuilles. La troisième, prise à 3 500 mètres, dispose de 65 jours de croissance et ne se permet qu'une tige de 15 centimètres et des feuilles minuscules. Ces caractéristiques sont maintenant acquises.

circulation des vents autour de la terre, créant des remous locaux qui, à leur tour, affectent la température et la pluviosité, remous qui sont responsables d'un large échantillonnage de climats, non seulement dans le voisinage immédiat des Montagnes elles-mêmes, mais parfois dans des régions qui en sont éloignées de milliers de kilomètres. Le régime des climats sur la planète serait une affaire très simple si Montagnes et continents ne s'opposaient au courant majestueux du vent et des eaux, courant créé par les différences de température et par la rotation du globe. Sous l'influence de ces facteurs, les vents dominants des latitudes tempérées sont les vents d'ouest. Aux États-Unis, ils soufflent constamment sur les côtes des états de Washington, de l'Oregon et de la Californie, apportant leur pleine charge d'humidité du Pacifique. Aussitôt, ils se heurtent aux chaînes côtières. Ils sont poussés plus avant, devenant plus froids au fur et à mesure qu'ils s'élèvent. L'humidité se condense en pluie et s'abat sur les pentes occidentales des Montagnes; les précipitations atteignent jusqu'à 365 centimètres par an dans la forêt de l'état de Washington. Asséchés, les vents passent les Montagnes dont les pentes orientales reçoivent à peine quelques gouttes d'eau. A cause de ces Montagnes, les déserts les plus secs d'Amérique ne se trouvent séparés de certaines de ses régions les plus verdoyantes que par quelques centaines de kilomètres.

EN gravissant une Montagne, on constate immédiatement que plus on monte, plus il fait froid. Cela est certainement vrai mais ne paraît pas normal, puisque l'on s'approche de plus en plus du soleil. L'explication tient au fait que l'air est plus sec, et retient par conséquent moins de rayons solaires infrarouges réchauffants. La conséquence en est un abaissement de température de 5 degrés environ pour 1 000 mètres d'altitude. Néanmoins, comme le savent les skieurs et les alpinistes, le soleil brûle la peau à haute altitude, même si l'on ne perçoit pas sa chaleur. Ceci parce que les rayons ultraviolets sont moins filtrés par une atmosphère sèche.

En raison des variations de la pluviosité et de la température, une chaîne de Montagnes peut à elle seule offrir une gamme stupéfiante de climats et avoir ainsi une profonde influence sur l'évolution des plantes et des animaux. L'évolution admet une théorie, connue sous le nom de sélection naturelle, selon laquelle les légères différences existant entre les individus d'une même espèce se trouvent perpétuées si elles présentent un avantage pour ces individus. Les types les plus petits d'une espèce à sang chaud, par exemple, ont plus de difficultés à conserver leur chaleur dans des climats froids que des spécimens plus grands, parce que le rapport entre la surface de leur peau (c'est par elle qu'est perdue la chaleur corporelle) et le poids total de leur corps est plus grand que celui des autres spécimens de la même espèce. Les passereaux chanteurs, qui sont nombreux en Amérique du Nord, en offrent une parfaite illustration et les races trouvées en Alaska sont notoirement plus grosses que celles habitant les régions arides du Sud-Ouest. Dans le désert, leur petite taille est un avantage et aide les oiseaux à conserver leur fraîcheur. Un principe similaire s'observe sur les versants des Montagnes abruptes où l'on peut constater des climats totalement différents en des points distants d'un kilomètre. Il en résulte des zones horizontales de vie animale et végétale correspondant chacune à une altitude particulière. Les moineaux des hauteurs tendent à rester à l'écart des moineaux des vallées. Plus la différence s'accentue, plus les différences génétiques, très légères à l'origine, deviennent considérables. En un million d'années, peut-être, les diverses qualités héréditaires peuvent devenir si éloignées les unes des autres que des croisements s'avèrent impossibles et que de nouvelles espèces se trouvent ainsi formées.

Même l'homme, pendant sa courte présence sur cette terre, a été influencé par les Montagnes. S'il n'était pas aussi habile à s'adapter à des milieux variés par l'utilisation du feu, d'un abri ou d'un vêtement, les différences raciales seraient probablement plus marquées qu'elles ne le sont, car certains groupes humains sont demeurés où ils se trouvaient pendant de longues périodes de temps. Ceux-là eussent été incapables de parcourir le monde et de se métisser comme ils l'ont fait. Même ainsi, certains caractères sont nettement différenciés dans les races d'aujourd'hui : les Mongols sont différents des Caucasiens, ils ont tendance à avoir un corps plus épais et des extrémités plus courtes. Les anthropologistes supposent que ces différences se sont produites au long des millénaires durant lesquels un groupe humain important s'est trouvé prisonnier de l'ère glaciaire, au nord de l'Himalaya.

Aujourd'hui, l'homme vit partout, sauf dans les régions polaires et au sommet des plus hautes Montagnes du monde. Ce n'est pas le froid intense, ni même l'altitude qui l'en éloigne mais la neige. Dans un milieu perpétuellement couvert de neige, les plantes ne fleurissent pas, les animaux ne peuvent se nourrir et l'homme doit chercher sa subsistance ailleurs. Toutefois, il pénètre aussi haut qu'il le peut; il a réussi à vivre dans les vallées écartées des Andes et sur les hauteurs tibétaines où les populations habituées à l'altitude zéro ne respirent qu'avec peine. Là encore, la vie lui a été rendue possible par adaptation biologique. Les montagnards ont un cœur plus gros que les habitants des plaines, des poumons plus développés et un sang plus riche en globules rouges. Malgré cette adaptation, l'existence en Montagne est rude et les hommes qui y vivent le sont aussi. Ils ne comptent que sur eux-mêmes et ils ont la réputation d'être individualistes et épris de liberté. John Milton a écrit que la liberté était « la nymphe de la montagne ».

En Suisse, le grondement de la conquête a retenti plusieurs fois sur les flancs des Alpes mais l'esprit d'indépendance helvétique est demeuré inébranlable. Les Suisses ont tiré le maximum de leur patrimoine : paysages, force hydraulique et produits des vallées fertiles. Tout dérive directement de la Montagne, car les Alpes reçoivent une quantité considérable de pluie et de neige; c'est grâce à cela que les vallées sont verdoyantes, l'électricité abondante et que les sommets innombrables, scintillant de champs de neige et d'énormes glaciers, sont le paradis des touristes.

La neige est une bénédiction relative pour l'habitant des Alpes. Elle se prolonge jusqu'à une période avancée du printemps, abrégeant considérablement la saison propice au développement des végétaux. Dans les mauvaises années, elle bloque les hautes vallées et les cols, rendant tout passage impossible. A l'occasion, elle tombe comme un linceul blanc des parois rocheuses presque verticales, engloutissant des villages entiers sous d'immenses avalanches. La neige alimente également les glaciers suisses, qui recouvrent environ 1 800 kilomètres carrés des précieuses terres du pays, rampant sur le flanc des Montagnes, décapant la roche et, là où fond la glace, laissant des amas de pierres et de graviers. Les savants suisses ont été les premiers du monde à étudier le comportement des glaciers et à conclure qu'ils ne sont que les vestiges de couches de glace beaucoup plus importantes qui recouvraient le Nord de l'Europe il y a 12 000 ans environ. D'après l'étude des moraines terminales (amoncellement de terre et de gravier) dans des régions où l'on ne trouve plus aucun glacier aujourd'hui, d'après le parallélisme des stries sur les roches et d'après la présence d'énormes éboulis

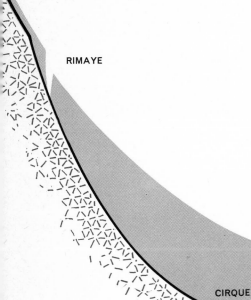

LE PROFIL D'UN GLACIER montre ses principales sections. La rupture à la source, ou rimaye, se produit lorsque l'action de la pesanteur détache la glace de la neige entassée sur la Montagne. Plus bas, les différences de vitesses, au sein même du glacier sur un terrain inégal, entraînent la formation de crevasses.

Des débris, détachés des flancs ou remontés du fond à la surface, sont déposés en cordons, ou moraines, au front de fusion de la masse de glace. Un escalier glaciaire se trouve créé lorsque des blocs de roche sont extraits des surfaces fracturées. Un cirque, parfaitement raboté par le mouvement continuel, peut devenir un lac de montagne après fusion de la glace.

RIMAYE

CASCADE

CIRQUE

ESCALIER GLACIAIRE

MORAINES

à des centaines de kilomètres de leur lieu d'origine, il est clair que la glace a recouvert ces surfaces et qu'elle a laissé ces débris derrière elle. Selon les estimations présentes, la calotte glaciaire alpine a pu avoir 1 600 mètres d'épaisseur, ce qui signifie que seuls les sommets des Montagnes les plus élevées en émergeaient et que le reste du pays était noyé sous des trillions de tonnes de glace compacte, chacune des vallées verdoyantes d'aujourd'hui en étant emplie jusqu'aux bords comme une coupe pleine.

Au cours des temps historiques, les glaciers ont connu des fluctuations constantes, mais toujours dans des limites voisines de leurs dimensions présentes. Au siècle dernier, ils ont diminué presque régulièrement, comme presque tous les glaciers du monde. Mais, pendant ces dix dernières années, dans certaines parties du globe, ils ont recommencé à s'étendre.

La croissance d'un glacier dépend d'un délicat équilibre entre la température atmosphérique et la quantité de neige tombée. S'il s'est déposé plus de neige qu'il ne peut s'en évaporer ou qu'il ne peut en fondre au cours de l'été, le glacier grandit. Sinon, il diminue. Un glacier est constitué de trois parties essentielles, toutes étroitement liées : le champ de neige à sa source, appelé bassin d'alimentation, le glacier lui-même, ou langue glaciaire, et le front, ou extrémité inférieure. Ces divisions ne sont évidemment pas constantes. Une partie en devient lentement une autre, car la masse tout entière est en mouvement continuel, coulant toujours vers le bas comme de la mélasse très froide et très dure.

La neige fraîche, qui tombe sur les pentes supérieures d'un glacier, se transforme en glace selon un processus immuable. Les cristaux de neige, légers et étoilés, s'entassent tout d'abord en une masse floconneuse, emprisonnant beaucoup d'air. Les changements de temps provoquent leur disparition par évaporation ou par fusion. Les pointes délicates du cristal étoilé sont les premières à disparaître et il reste des grains de neige, ronds, d'un millimètre de diamètre environ. Un sondage effectué près du sommet d'un glacier révèle que plus on creuse profond, plus ronds et plus serrés sont les grains. Ces minuscules particules de neige portent le nom de névé et elles ont généralement au moins un an d'âge. L'accentuation de la pression et l'écoulement de l'eau provenant de la fonte des couches superficielles transforment progressivement ces grains en particules de glace. Celles-ci se soudent lentement les unes aux autres et leurs dimensions augmentent peu à peu jusqu'à atteindre parfois 12 millimètres à une profondeur de 1,50 mètre ou de 1,80 mètre. Là, les conditions de la surface ne les affectent plus et elles réagissent seulement à la pression due au poids du matériau situé au-dessus d'elles. A 30 mètres de profondeur, elles sont généralement transformées en glace compacte. Dans les climats chauds où la fusion est abondante, la transformation des cristaux de neige en névé, puis en glace, peut prendre de une à vingt années. Dans les climats très froids, elle peut durer trois cents ans.

L A vitesse à laquelle se déplace la glace dépend de l'inclinaison de la pente sur laquelle elle repose, de la profondeur de cette glace et de son poids, de la neige enfin située à sa source. Sur des pentes douces, où le poids de la neige du bassin d'alimentation ne les presse pas vers le bas, certains glaciers avancent à leur front à une vitesse inférieure à 12 millimètres par jour. D'autres, sur des pentes rapides, alourdis de neige fraîche et abondante peuvent avancer quotidiennement de 30 mètres. Les glaciers continentaux comme la calotte glaciaire du Groenland, au fur et à mesure qu'ils s'étalent, peuvent même remonter des pentes, couvrant des chaînes entières, laissant parfois indemnes des pics appelés nunataks.

Au sein du glacier, le mouvement n'est en aucune façon uniforme ainsi que l'ont découvert les hommes qui y ont creusé des tunnels. Ceux-ci penchent rapidement et doivent être constamment dégagés si on veut laisser leur passage

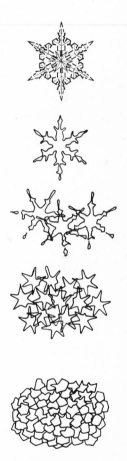

LA TRANSFORMATION des cristaux de neige en glace suit un processus immuable au sein du glacier. L'évaporation et la fusion changent les flocons étoilés (en haut) en petits grains de neige (au centre). Ceux-ci se soudent en une masse de particules de glace (en bas) qui, sous une pression plus grande encore, deviennent de la glace compacte.

libre. De telles expériences ont appris que le courant, au centre du glacier, était plus rapide que sur ses bords, à l'image du cours d'eau dont les rives freinent le flot. De même, plus on pénètre profondément dans un glacier, plus lent est son mouvement. Parmi ceux qui pénétrèrent les premiers dans la profondeur d'un glacier, citons un groupe de savants soviétiques de l'Académie des Sciences du Kazakhstan, qui envoya une expédition au glacier de Zailisky, dans le nord du massif de Tian Chan. L'expédition introduisit un chapelet d'électrodes dans un trou de 52 mètres de profondeur puis maintint le dispositif dans un bloc de glace en emplissant le trou d'eau. Les différentes vitesses aux différents niveaux furent déterminées en suivant le champ électrique produit par chaque électrode. Sur une période de cent quatre vingt-dix jours, la surface du glacier se déplaça de 2,75 mètres alors que sa base ne s'était déplacée que de 1,50 mètre, les vitesses diminuant progressivement entre ces deux extrêmes.

En raison des vitesses différentes au sein d'un glacier, de larges fissures apparaissent dans ses sections inférieures et aux points où la pente s'accélère brusquement. Ce sont les crevasses. Elles peuvent avoir quelques centimètres de large, ou plus — 15 mètres même — et on en a mesuré dont la profondeur dépassait 35 mètres. Les alpinistes expérimentés ont du mal à les repérer lorsque leur surface est recouverte de neige fraîche et elles sont une constante menace pour les promeneurs inexpérimentés. Comme les glaciers ont été étudiés très attentivement dans les Alpes et que leur vitesse a été calculée avec une grande précision, on a été conduit à une arithmétique d'humour noir : combien de temps faut-il pour que réapparaisse au front d'un glacier, dans la partie en fusion, le corps d'un homme enseveli ? En 1820, trois alpinistes tombèrent dans une crevasse sur un glacier du Mont-Blanc. On calcula que leurs corps réapparaîtraient en 1860. Ils arrivèrent effectivement en 1861. Au cours de l'été 1956, un glacier au pied du Weisshorn rendait le corps parfaitement conservé d'un homme que l'on crut être tout d'abord un Suisse tombé d'une paroi rocheuse, en 1946, sur la surface du glacier. Ultérieurement, toutefois, le corps fut correctement identifié : il s'agissait d'un alpiniste allemand âgé de 19 ans, Georges Winkler, tombé du Weisshorn en 1888. Il avait fallu soixante-huit ans pour que la glace transportât le cadavre de Winkler sur 2 kilomètres environ, de sa partie supérieure à son front.

Tous les glaciers suisses appartiennent à la catégorie des glaciers de vallée par opposition aux calottes glaciaires, plus importantes, plus statiques, communément trouvées dans les régions polaires et dont les glaciers continentaux du Groenland et de l'Antarctique sont les plus remarquables exemples. Le continent antarctique, soulevé de hautes Montagnes, possède les deux types et ils s'y associent pour constituer le plus grand agglomérat de glace du monde — 13 millions de kilomètres carrés de superficie et une épaisseur ignorée dans sa majeure partie.

Par contraste, les glaciers suisses sont insignifiants; le plus connu est le glacier du Rhône, de quelque 12 kilomètres de long. Ils sont néanmoins impressionnants. Le glacier du Rhône est la source du Rhône, le fleuve qui roule en France le plus important volume d'eau. Bien qu'il soit actuellement en recul, ce glacier constitue une menace constante pour ceux qui vivent dans la vallée près de son extrémité frontale. Si le climat suisse se refroidissait de quelques degrés seulement, le glacier du Rhône glisserait vers l'aval, recouvrant environ trente petites villes et villages, dont Sion, cité de plus de 12 000 habitants, avant même d'atteindre le lac Léman. Simultanément, les glaciers reprendraient leur avance dans toutes les autres Montagnes et vallées, éventualité qui souligne la faible marge de sécurité dont bénéficie une société montagnarde. Un léger changement de climat prolongé et la Suisse deviendrait inhabitable.

Enveloppée de neige, une vallée des Alpes suisses, près de Zermatt, abrite un groupe de chalets construits sur les berges d'un cours d'eau émaillé de blanc.

Le spectacle alpin

Les rubans verts des vallées et les pointes acérées des sommets constituent le pays de Montagnes le plus connu du monde : les Alpes d'Europe. Géologiquement jeunes, les versants alpestres s'élèvent à plus de 4 500 mètres. Le lent glissement de gneiss dont ils résultent a commencé il y a 15 millions d'années. Protégés par de si hautes murailles, les peuples des vallées connaissent une indépendance et une prospérité paisibles.

CETTE VALLÉE, véritable décor de contes de fées, contourne un éperon de 4166 mètres, la Jungfrau *(à gauche)*, dans les Alpes suisses, retraçant le chemin parcouru par un glacier de l'ère glaciaire, fondu il y a très longtemps. Tout au fond de la coupe d'émeraude qu'est la vallée, niche le village de Lauterbrunnen. Sur ses bords sont perchés les chalets des fermiers montagnards. Dans ce paysage estival, la neige ne s'attarde que sur les hautes cimes.

La culture des hautes terres

Arracher son pain au sol des Alpes n'est pas aisé. Le fermier des hautes terres doit lutter contre des obstacles inconnus de son cousin des pays plats. Le premier de ses problèmes est la pénurie de terre arable dans une région totalement dominée par les Montagnes. Les fermiers du Tyrol autrichien, que l'on voit ci-contre, cultivent tout le sol disponible même lorsqu'il forme un angle aussi aigu que dans la vallée de droite. Labourer une terre aussi abrupte présente des difficultés insurmontables. Il faut deux hommes à la charrue, l'un pour guider les chevaux, l'autre pour maintenir la charrue dans le sillon afin qu'elle ne soit pas entraînée par la pente. Toute moisson doit être effectuée à la main, à la faucille et à la faux puisqu'il est impossible

Coiffé d'un séduisant chapeau fleuri, ce fermier se prépare à défiler dans les rues d'Innsbruck.

Comme une armée se tenant prête pour la bataille, les meules de foin fraîchement coupé, alignées à perte de vue, emplissent la verte vallée de Ziller. Les

d'utiliser des machines modernes. Un sol pauvre et une saison très courte pour la croissance des végétaux constituent les principaux problèmes qui se posent aux fermiers.

Les herbages et le trèfle, néanmoins, poussent facilement dans cet âpre milieu et, en conséquence, la plupart des fermiers alpins pratiquent avant tout l'élevage. Des croisements ont permis de développer des races de bêtes adaptées aux différents pâturages, les unes plus actives pour les pentes abruptes, les autres plus lourdes pour les vallées. Les méthodes de ramassage laitier ont été modernisées : des pipe-lines ayant jusqu'à cinq kilomètres de long transportent le lait des fermes des hautes terres aux points de ramassage, dans les vallées.

Les hautes pentes d'une vallée abrupte, à proximité de Ranggen, reçoivent une culture intensive.

fermiers du Tyrol entassent ainsi leur récolte et en accélèrent le séchage en exposant la plus grande quantité possible de foin à la chaleur des rayons solaires.

ÉMERGEANT D'UNE MONTAGNE pour s'engager sur un pont, un train suit la route impressionnante du célèbre chemin de fer suisse rhétique. Sur 250 km, il compte 376 ponts et 76 tunnels.

Circuler dans les Alpes

Voyager en Suisse pose au voyageur des problèmes inhabituels. Dans un enchevêtrement de Montagnes — dont certaines dépassent 4 500 mètres — et de hautes vallées situées parfois à 150 mètres au-dessus du niveau de la mer, il faut, pour parcourir cette terre alpine, monter et descendre sans cesse. Autrefois, les Montagnes maintenaient souvent les habitants des cantons isolés les uns des autres. Aujourd'hui, la construction accélérée de routes, de funiculaires, de téléphériques, de ponts et de tunnels a aidé à résoudre ce problème des communications intérieures.

La construction d'un réseau de voies ferrées a considérablement aidé la circulation suisse. Ce réseau est le plus dense de son espèce dans le monde; il relie tous les cantons helvétiques entre eux. Actionnés par l'énergie hydro-électrique, les trains parcourent 25 000 kilomètres de voies et leur vitesse atteint 160 kilomètres/heure et plus. Ils sont si rapides que leurs passagers se plaignent de ne pas voir suffisamment la richesse la plus spectaculaire de leur pays : le panorama des Montagnes.

UNE ROUTE en zigzag monte vers les villages. Sur le versant sud des Alpes, aux pentes escarpées, entre les champs en terrasses *(ci-contre)*, elle est le seul chemin qui relie le fermier au marché de la vallée.

DANS LE CIEL BLEU, par-dessus la frontière franco-italienne, le téléphérique transporte des passagers au sommet de l'Aiguille du Midi (3 845 mètres). Le câble mesure près de 5 kilomètres.

23

UNE PLAINE DE NUAGES cotonneux recouvre les vertes vallées des Alpes italiennes d'une brume azurée. Provoquée par une couche d'air froid au-dessus du Pô, dans le Nord de l'Italie, la partie supérieure de la brume coupe les pics dentelés à environ 1 800 mètres d'altitude. Cette scène étrange évoque le temps où l'Europe, il y a 12 000 ans, était la proie de la dernière glaciation

et où une couche de glace, d'une profondeur presque égale à celle de ce corps nuageux, recouvrait ces mêmes vallées. On constate les effets érosifs de cette couche glaciaire dans les gouges semi-circulaires appelées cirques, visibles sur les Montagnes, à gauche de la gravure. Seuls, sont visibles les sommets de plusieurs glaciers, vestiges du champ de glace lui-même.

Vestiges d'une grande ère glaciaire

La Suisse doit beaucoup à ses glaciers. Ils empiètent sur la faible superficie de son territoire, recouvrant près de 5 pour cent du pays de milliards de tonnes de glace et de neige; c'est cependant grâce à eux que la terre est habitable et que les Alpes foisonnent en vallées fertiles *(voir pages 18 et 19)*. Il y a un million d'années, la Suisse était un pays de pics rocheux et nus séparés par des cañons en forme de V. C'est alors que commença le grand âge glaciaire et que quatre couches successives de glace se déposèrent entre ces fractures, les élargissant et les approfondissant lentement mais irrésistiblement jusqu'à la formation des vallées arrondies d'aujourd'hui. Chaque fois que la glace reculait, elle laissait la terre fertile comme résidu de son érosion. Aujourd'hui, la fonte des vestiges glaciaires sert à irriguer le sol des vallées et à cultiver des pâturages pour le bétail et les chèvres des éleveurs suisses.

UNE CREVASSE DÉCHIQUETÉE transperce un glacier *(ci-contre)*. Ces failles aux parois abruptes, de 60 mètres de profondeur parfois, sont particulièrement traîtresses lorsqu'elles sont couvertes de neige. Invisibles, elles prennent au piège les skieurs imprudents.

DES LANGUES DE GLACE, vestiges d'un grand glacier de jadis, empiètent sur une vallée suisse voisine de Saas-Fee. On distingue au centre une moraine, amoncellement de roches brisées abandonnées par la glace au fur et à mesure de sa fusion.

LE DÉBUT D'UNE AVALANCHE sur une arête alpine laisse voir l'endroit où se forme le glissement : une fissure qui va s'élargissant dans le glacis au-dessus des blocs de neige cisaillés

DES MURETTES ÉCHELONNÉES sur le versant abrupt d'une montagne suisse préservent des avalanches en maintenant la neige sur la pente. Cette méthode est coûteuse mais efficace.

GRONDANT ET DÉVALANT du glacier de Giessen, dans la Jungfrau, une avalanche creuse son sillon vers la vallée. Souvent accompagnée d'un vent soufflant en tornade atteignant parfois

montre comment ces glissements commencent. Desserrée par une perturbation soudaine, la neige relâche son étreinte sur la pente et est entraînée vers le bas par son propre poids.

110 km/h, ces glissements formidables balaient irrésistiblement roches, arbres et maisons sur leur passage. Ils sont fréquents dans les Alpes et coûtent chaque année une vingtaine de vies humaines.

CET ÉNORME GLISSEMENT à épargné les maisons serrées les unes contre les autres de ce petit hameau suisse. La forme du terrain protège les habitations et la forêt qui se trouve derrière.

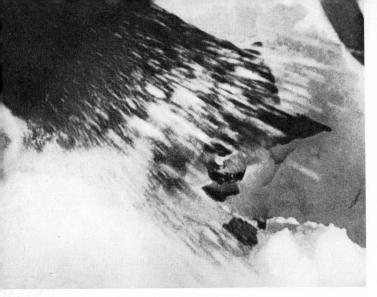

CREUSANT A LA PELLE des tranchées dans la neige du Tyrol, les sauveteurs piochent prudemment cherchant les victimes d'une grande avalanche de neige humide que l'on appelle ici *Grundlawine*.

La mort blanche

Lorsque s'installe l'hiver alpin et que tombe la première neige, une angoisse revient hanter la vie des gens de la montagne. C'est la menace de la mort blanche. Péril particulier aux régions de Montagnes escarpées, les avalanches peuvent frapper sans avertissement, engloutissant des villages sous des millions de tonnes de neige. Le danger varie suivant les années, suivant l'abondance de la neige et le temps, mais il exige toujours son tribut de vies humaines. En 1951, les avalanches tuèrent près de 400 personnes en Suisse seulement.

Il faut peu de chose pour déclencher une avalanche. Lorsque les conditions se trouvent réunies, il suffit du plus petit poids sur la pente — comme un bouquet de neige tombant d'un arbre — pour provoquer un glissement. Une vibration même — une porte qui claque — provoque la catastrophe. Lorsque le glissement est achevé, il faut entreprendre la triste besogne de rechercher les victimes ensevelies sur son passage. Des hommes sondent alors prudemment de profonds amoncellements avec de longues perches métalliques; ils sont aidés par des chiens policiers *(à gauche)* entraînés à repérer les disparus même sous deux mètres de neige.

Le trait le plus exaspérant des avalanches est leur aspect capricieux. En 1954, le sauvetage des survivants d'un glissement, à Blons, en Autriche, était à peine achevé qu'une seconde avalanche ensevelissait à nouveau les vingt-cinq rescapés et leurs sauveteurs. Malgré cela, une vieille femme de soixante-dix ans, prise dans cette avalanche, fut retrouvée vivante après être restée 50 heures sous la neige.

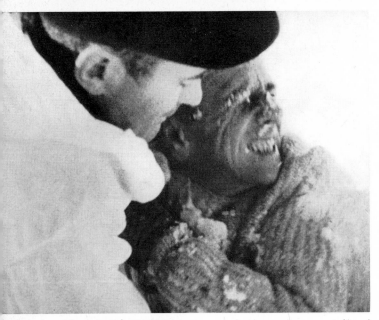

ENTERRÉ VIVANT sous une avalanche, un homme est dégagé d'un amoncellement. Repéré par un chien policier *(en haut)*, il s'efforce de reprendre conscience dans les bras de son sauveteur *(en bas)*.

EN PLEINE NUIT, un glissement de neige a anéanti cette maison près de Vals, en Suisse, ensevelissant 19 personnes. Les hommes cherchent s'il y a encore des survivants sous les décombres.

2

Naissance et mort des Montagnes

Il y a deux cents ans que Voltaire et Buffon eurent leur célèbre discussion sur la façon dont les coquillages étaient parvenus au faîte des Montagnes. Et s'il semble tout à fait évident aujourd'hui que Buffon savait de quoi il parlait alors que Voltaire l'ignorait, cela ne l'était certainement pas alors. Voltaire croyait aux faits et à la raison et il n'avait aucun motif de penser que les Montagnes n'étaient pas statiques. Néanmoins, ses opinions politiques l'obligèrent à quitter de temps à autre la France pour l'air plus libre de la Suisse. Là, devant la preuve du soulèvement et de l'érosion des pics eux-mêmes, les arguments de Buffon lui revinrent quotidiennement à l'esprit. Il les accepta finalement et les deux hommes devinrent à nouveau amis.

Cet épisode montre clairement notre tendance naturelle à croire que notre planète est exactement aujourd'hui ce qu'elle a toujours été. Quelle puissance a pu soulever la terre et lui donner la forme d'une Montagne ? Il est beaucoup plus facile de concevoir les forces qui travaillent à la destruction d'un pic splendide que de comprendre comment cette immense masse de roche a été de prime abord soulevée vers le ciel. Les forces, qui effectuent ce travail, reposent cachées au sein de la terre et l'homme doit porter son attention vers ces sombres profondeurs pour savoir comment sont nées les Montagnes.

ÉCORCE

MANTEAU

NOYAU
EXTÉRIEUR

NOYAU
INTÉRIEUR

CETTE PORTION de notre planète nous montre les couches supposées de la terre. L'épaisseur de l'écorce de roche, qui dépasse rarement 65 km, a été ici doublée par rapport à l'échelle du graphique. Sous l'écorce, le manteau plastique s'enfonce sur 2 900 km. Le noyau extérieur, composé de fer et de nickel en fusion, a 2 000 km d'épaisseur. Le noyau intérieur, dense et solide, où fer et nickel se trouvent comprimés, présente un rayon de 1 385 km.

C'est une étude très difficile car l'homme n'a jamais été capable de pénétrer plus d'une infime fraction de l'écorce terrestre. Cette écorce, de plus, n'est elle-même qu'une infime fraction de la terre, une fine couche de roche ayant rarement plus de 65 kilomètres d'épaisseur. Cette épaisseur par rapport à la masse totale de la terre est environ la même que celle d'une coquille d'œuf par rapport à l'œuf lui-même. Au-dessous de la croûte terrestre se trouve une couche intermédiaire beaucoup plus épaisse, dénommée le « manteau », qui atteint une profondeur d'environ 2 900 kilomètres où lui succède le « noyau », une masse sphérique d'un liquide très brûlant et très dense que l'on croit être du nickel et du fer fondus. Il n'existe aucune preuve directe de cette représentation de la structure de la terre mais un grand nombre de preuves indirectes et extrêmement ingénieuses ont été réunies au cours de ces dernières années.

Tout d'abord, l'homme n'a encore jamais été capable de forer jusqu'à l'extrémité même de l'écorce terrestre. La mine la plus profonde du monde n'est pas située à plus de 3 200 mètres — environ un vingtième de l'épaisseur de l'écorce — et, de cette expérience, nous avons tiré un enseignement : plus on s'enfonce, plus il fait chaud. Les autres mines du monde entier fournissent la même démonstration. De l'étude de ce fait, il n'est pas difficile de calculer que la température de la roche s'élève à un rythme régulier : 1 degré pour 30 mètres de profondeur. A 4 800 mètres de profondeur, cette température est assez considérable pour faire bouillir de l'eau, ce que prouvent les geysers.

Une troisième preuve de la chaleur régnant à l'intérieur de la terre est fournie par l'action des volcans. Lorsqu'un volcan entre en éruption, il projette des cendres incandescentes, des gaz brûlants et des flots de roches fondues qui s'écoulent comme de la mélasse. De toute évidence, il fait *très* chaud au lieu d'origine des matériaux volcaniques. A quelle profondeur est ce lieu ? Il est impossible de le dire, mais il est tentant de supposer que la terre est partout la même jusqu'en son centre, simplement de plus en plus chaude, la roche solide devenant progressivement de la roche fondue. L'inexactitude de cette supposition a, toutefois, été prouvée par un savant yougoslave du nom de Mohorovicic, qui consacra sa vie à l'étude des tremblements de terre. Un tremblement de terre est une onde de choc. Touchez à un bol de gelée et tout l'ensemble sera ébranlé. En fait, si on connaît les propriétés de la gelée, il sera possible de prévoir exactement *de quelle façon* elle sera ébranlée car les ondes de choc ne sont pas les mêmes suivant les matériaux à travers lesquels elles se propagent. Par exemple, une convulsion quelconque dans le sol peut déclencher une onde de choc qui parcourra toute la terre et les sismographes (délicats instruments destinés à mesurer l'amplitude des tremblements de terre) seront ébranlés en fonction des secousses, d'un hémisphère à l'autre. En effectuant des observations précises aux différents instants où une secousse déterminée est enregistrée par leurs instruments, les sismologues des différentes parties du monde peuvent comparer leurs constatations et déterminer exactement le lieu d'origine du tremblement de terre.

Le côté étrange de la sismologie est que, parfois, les ondes de choc ne se comportent pas comme il est prévu. Elles se déplacent d'un point à un autre, soit trop vite, soit trop lentement. Fait plus surprenant encore, quelques-unes d'entre elles semblent ne jamais atteindre certaines parties du monde. Tout se passe comme si une barrière ensevelie dans la terre se dressait sur leur chemin, et un tremblement de terre en Australie, par exemple, ne sera pas ressenti en Angleterre; l'Angleterre, de toute évidence, repose à l'abri d'une protection profonde et invisible. Après une longue étude de ces contradictions, le professeur Mohorovicic et d'autres savants conclurent que les ondes de choc traversaient ou contournaient des matériaux de différente nature, et l'image actuelle de la terre commença d'émerger — une mince écorce, une couche comparable à une couche de pâte, le manteau, et un noyau en fusion avec un centre solide. Aujourd'hui, d'amples preuves ont été réunies sur les tremblements de terre et elles étayent l'image que précisément un très grand nombre de savants considèrent comme exacte. Pour honorer les travaux du professeur Mohorovicic, la zone où s'achève l'écorce et où commence le manteau — à 65 kilomètres de profondeur environ — et où les ondes sont déviées, a été dénommée la discontinuité de Mohorovicic ou, plus brièvement, de Moho.

Que vient faire cet exposé dans la formation d'une Montagne ? Simplement ceci : que si l'on accepte l'image d'une couche malléable sous la croûte terrestre, il devient alors possible de spéculer sur le comportement de cette croûte. Pour prendre un exemple familier, disons que si le centre d'un oreiller reçoit un coup de poing, les bords se trouvent rehaussés. De même, si un point de la surface de la terre reçoit un formidable coup, il est à prévoir qu'en compensation un rehaussement se formera en un autre point.

Les coups de poing que reçoit la terre sont incroyablement lents et doux. Ils mettent des millions d'années à se faire sentir et le meilleur endroit pour les observer est l'embouchure des grands fleuves. Les fleuves transportent constamment des particules de limon vers la mer. Ce fin limon s'accumule lentement et durcit en schiste. Le sable grossier se consolide en vastes couches de grès. Les résidus calcaires des plantes et des animaux sont transformés en roche calcaire. Les unes sur les autres, les couches se déposent. On estime qu'un fleuve puissant peut transporter suffisamment de boue pour construire 30 centimètres de schiste par siècle. Une même épaisseur de calcaire peut se former au fond des mers en six mille ans environ.

Au fur et à mesure que ces roches sédimentaires s'accumulent en nouvelles strates, elles se tassent sous leur propre poids et l'écorce qui se trouve sous elles doit s'infléchir vers le bas. L'existence d'un manteau malléable et pâteux sous l'écorce rend cette hypothèse plus plausible, en particulier si l'on considère que la croûte « flotte » sur le dessus du manteau. Qu'elle épaississe et elle s'enfoncera plus profondément dans le manteau, simplement parce qu'elle est devenue plus lourde.

CELA peut ne pas être visible à la surface de la terre. Le fond du golfe du Mexique, par exemple, est encore sous les eaux, comme il l'a été pendant des millions d'années. Pendant tout ce temps, cependant, le Mississippi a drainé du limon dans le golfe et, au delta du fleuve, on estime maintenant cette décharge à plus de 9 000 mètres d'épaisseur. Cet énorme dépôt semble avoir infléchi une partie du fond du golfe, obligeant l'écorce existante à s'enfoncer de plusieurs centaines de mètres sur son précédent niveau. A en juger par ce qui s'est précédemment passé dans les autres parties du monde, les conditions se trouvent aujourd'hui réunies là pour certains réajustements. Dans quelques millions d'années — ce qui signifie demain, à l'échelle des temps géologiques — cette grande masse provoquera un bouleversement d'une amplitude suffisante pour soulever d'importantes Montagnes dans les terres voisines du golfe — en Floride peut-être ou aux Antilles. Les fossiles de la vie marine dans le golfe seront retrouvés un jour par quelque futur Buffon à quelque 6 000 mètres d'altitude. Nous ne savons absolument pas quand, où, et comment, ce soulèvement se produira. Il nous faut retourner une fois encore vers l'intérieur brûlant de la terre pour y trouver des indices et le premier nous sera peut-être fourni si nous essayons de répondre à la question suivante : pourquoi est-ce brûlant ?

Les savants ne sont pas d'accord sur ce point, principalement parce qu'ils ne

L'ÉTUDE DU DÉROULEMENT des tremblements de terre met en évidence les couches qui structurent la terre. Sur cette coupe représentant un quart du globe, un séisme (en bas) émet des ondes de choc dans toutes les directions. Celles-ci s'incurvent pour revenir à la surface (lignes pointillées) où les sismographes enregistrent leur arrivée et leur intensité sous forme d'oscillations sur une bande de papier. L'onde située à droite provoque des oscillations plus faibles et aboutit à l'écorce au « mauvais » endroit, ce qui indique qu'elle a été réfractée et atténuée en traversant un matériau différent au centre de la terre. Il reste ainsi une « zone d'ombre » où sont seulement ressenties de très faibles oscillations. Les hypothèses déduites de tout ceci ont permis de perfectionner la théorie des différentes couches de la terre

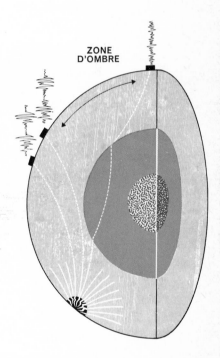

ZONE D'OMBRE

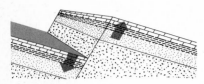

PROVOQUÉES par une poussée souterraine, les failles sont de nettes fractures d'une masse terrestre. Les fractures verticales se produisent lorsque des terrains sont soulevés et que d'autres s'affaissent. La dénivellation forme un rejet abrupt, telles les falaises de la Sierra Nevada, au sud-ouest des États-Unis et du Mexique.

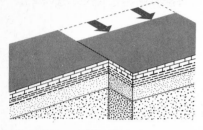

UNE FAILLE HORIZONTALE, provoquée par un déplacement latéral, peut s'étendre sur des milliers de kilomètres. Un léger mouvement le long de la fracture de San Andreas, qui va du Mexique au Pacifique en traversant la Californie, fut à l'origine du tremblement de terre de San Francisco en 1906.

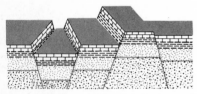

« GRABEN », ou fossé tectonique, et « horst » sont les termes techniques pour désigner les longues auges et les arêtes plates que l'on rencontre souvent sur les lignes de fractures parallèles. Dans le Sud-Ouest des États-Unis, la Vallée de la Mort est un exemple de graben et de nombreuses chaînes du Névada et de l'Utah sont des horsts.

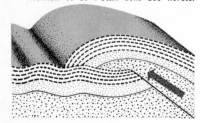

UN PLI est une ondulation de terre (à gauche) que provoque une poussée latérale de deux portions de l'écorce terrestre. Parfois, lorsque les poussées rencontrent une faille oblique, comme à droite, les surfaces se chevauchent, un pli plus important se forme enterrant les plus petits : c'est une nappe de charriage.

peuvent s'entendre sur la façon dont la terre a été formée. Pendant de nombreuses années, une théorie a prévalu : la terre résultait d'un vaste agglomérat de matériaux en fusion projetés par le soleil, ou le produit de quelque explosion cosmique céleste. Ces conceptions pouvaient très facilement admettre un noyau en fusion au centre de la terre et l'aspect froid et rocheux de sa surface en expliquant que la planète se refroidissait actuellement. Lorsqu'une chose refroidit, elle rétrécit et lorsqu'elle rétrécit, sa peau se ride — comme dans l'illustration classique de la pomme, illustration utilisée bien souvent pour expliquer la présence des Montagnes sur la terre.

Malheureusement pour cette théorie, l'une des dernières conceptions — et des plus compliquées — relatives à la création de la terre prétend que notre planète était froide au moment de sa formation, formation due, croit-on, à la coalescence de vastes nuages de poussière interstellaire. Une masse de particules étant donnée, l'attraction les unira les unes aux autres en vertu de la gravitation. Au fur et à mesure que les particules grossissent, leur force d'attraction devient plus forte et l'opération se poursuit jusqu'à ce que toute la matière contenue dans l'espace céleste ait formé une seule sphère... Pour ce qui est de la terre, ce processus continue, car les météorites — la plupart sont des particules de matière — continuent de heurter la planète au rythme de 730 000 tonnes par an, lesquelles, réparties sur toute la surface de la terre, ajoutent très lentement à sa croissance. Selon la théorie du nuage de poussière interstellaire la terre n'est probablement pas en train de se refroidir; au contraire, peut-être devient-elle plus chaude et se développe-t-elle. Les hautes températures des profondeurs de la terre sont attribuées à l'influence de matériaux radio-actifs dans les roches, et à la pression. L'attraction gravitationnelle de la terre est très importante, et les éléments en son centre sont tassés les uns contre les autres par l'immense poids de matière qui pèse sur eux. A la surface du globe, la pression dite atmosphérique — le poids d'une colonne d'air s'élevant dans le ciel sur 800 kilomètres environ — est de 1,033 kg par centimètre carré. Enfoncez-vous de 8 000 mètres dans la mer, et la pression de l'eau sera de 840 kg environ par centimètre carré. A l'extrémité du manteau, à 2 900 kilomètres de profondeur, la pression est de 1 190 000 kg par centimètre carré, c'est-à-dire qu'elle est suffisante pour réduire les métaux en fusion et transformer les roches en gaz car, sous de telles pressions, on estime que la température s'élève dans les profondeurs du manteau à plus de 3 800 degrés.

AYANT de telles forces emprisonnées sous nos pieds, il n'est pas surprenant qu'il se produise quelque agitation des éléments, le jaillissement çà et là de matériaux plus chauds, l'affaissement d'autres plus froids, la création de poches de gaz. Il faut également tenir compte du fait que la terre tourne sur son axe à la vitesse de 1 690 kilomètres à l'heure au niveau de l'équateur et que sa mince écorce, solide et rocheuse comme elle nous apparaît, n'est tout simplement pas assez solide pour supporter toute cette activité. Cette écorce se déplace même avec les marées, les continents « immobiles » s'élevant ou s'abaissant d'environ 15 centimètres chaque jour sous l'influence de la lune.

Une autre force encore contribue — croit-on — à l'instabilité de la terre. Dans des conditions connues de nous, toute chose, à la surface terrestre, a tendance à se dilater en augmentant de température, toute chose exceptée l'eau. La glace — c'est-à-dire l'eau sous sa forme refroidie — réduit de volume d'environ 9 % lorsqu'elle fond. D'autres roches et d'autres matériaux diminuent-ils de volume ailleurs qu'en surface en se trouvant à l'état de fusion ? On le croit maintenant en raison de l'altération de leur structure moléculaire sous l'effet de la chaleur et de la pression intolérables.

En résumé, la terre se refroidit ou s'échauffe. Elle peut diminuer de volume en se refroidissant ou elle peut être en expansion. Elle peut faire les deux simultanément en des points variés de sa surface en conséquence des influences locales. Cependant, elle est en mouvement, en agitation constante, et c'est cette agitation qui a construit des Montagnes depuis qu'il y a eu une croûte granitique pour les structurer.

Les Montagnes peuvent croître de quatre façons. Une partie de la surface de la terre est comprimée. Si l'on tente l'expérience avec un tapis, on constatera que des plis s'élèvent en son centre. Le même phénomène se produit avec l'écorce terrestre et il en résulte ce que l'on appelle des Montagnes « plissées ». Les Appalaches, les montagnes de Atlas, les montagnes de Oural et les Alpes ont toutes été formées de cette façon. Bien que la roche puisse être assez flexible pour s'infléchir selon les mouvements de la terre et ne faire apparaître aucune faille remarquable, la violence de ces changements ne doit pas être sous-estimée. Accompagnant la naissance des Appalaches, une ancienne auge glaciaire, de 800 kilomètres de large, a été comprimée et réduite à 430 kilomètres d'envergure par un vigoureux plissement de terrain.

UN autre type de formation de Montagne est discernable sur les grandes surfaces de roche nue. Ce sont des Montagnes de dislocation formées lorsque la pression souterraine force toute une masse à se séparer nettement d'une autre. D'un côté de la fracture, les roches s'élèvent, de l'autre, elles s'affaissent. La séparation se produit lorsqu'il existe une fissure dans l'écorce terrestre. Souvent ces fissures entraînent la formation d'orifices d'où peut émerger la lave.

San Francisco fut presque détruite en 1906 par une faille de ce genre, relativement peu importante, qui suivait une cassure s'étirant sous la ville et s'orientant au sud vers le Mexique, à travers la Californie, et au nord-ouest vers l'océan Pacifique. Une brève succession de tremblements de terre disloqua la strate sur 6,50 mètres. Des ajustements ultérieurs suivant cette cassure ont été moins violents mais, en de nombreux endroits, ils ont néanmoins provoqué des glissements de terrain dévastateurs.

Une série de déplacements en un même point de fracture peut faire surgir la face d'une Montagne absolument lisse sur laquelle un chamois lui-même ne trouvera pas prise. L'un des panoramas les plus spectaculaires du monde est fait de murs déchiquetés de roche qui sont les flancs de grands blocs projetés vers le ciel en plis faillés. L'admirable Sierra Nevada, en Californie, et les Tetons qui dominent la vallée de Jackson Hole, dans le Wyoming, ont cette origine bien que, comme toutes les autres chaînes de Montagnes du monde, celles-ci soient le produit de plus d'un type de surrection de Montagnes.

La Sierra Nevada est, en fait, l'arête supérieure d'une formidable plate-forme de 645 kilomètres de long et de 64 à 128 kilomètres de large, qui s'enfonce dans le Pacifique comme une immense boîte sombrerait dans la mer. L'arête occidentale de cette masse se trouve à près de 8 kilomètres sous les eaux de l'océan, l'arête orientale s'élève par contre à plus de 3 200 mètres au-dessus du niveau de la mer. Peu impressionnante lorsqu'on en fait l'ascension par l'ouest, puisque sa pente est douce, — 40 mètres de dénivellation sur un parcours de 1 000 mètres — la Sierra Nevada vous coupe le souffle lorsqu'on l'aperçoit par l'est. De ce côté, les profonds abîmes de la fracture sont évidents.

Un troisième type de surrection de Montagnes est dû à l'action volcanique, l'éruption de matériaux du centre de la Terre suffisant à créer véritablement une Montagne en accumulant un gigantesque amas de lave et de cendres à la surface de la planète. Récemment s'est produit un événement spectaculaire de cette sorte : le 20 février 1943 un épais nuage de fumée est apparu brusquement au-dessus d'un champ de maïs, au Mexique. Le deuxième jour, le cône de cendres avait atteint 30 mètres de hauteur. Des fragments de roche et de lave pleine de gaz furent projetés du nouveau cratère volcanique à chaque grondement.

Le sommet atteignit 138 mètres en deux semaines, 286 mètres en huit mois et 310 mètres en deux ans. En 1952, lorsque les éruptions cessèrent, il était haut de 411 mètres et les villages voisins de Paricutín et de Parangaricutiro avaient disparu sous les débris de la nouvelle Montagne. Les coulées de lave se répandirent sur 10 kilomètres autour du cratère. L'accumulation de poussière et de roche des éruptions répétées détruirent jusqu'au moindre fragment de végétation sur des kilomètres à la ronde.

Nombre de grandes Montagnes du globe ont été créées de cette façon et elles atteignirent une altitude impressionnante avant que l'homme parût sur terre. Nous n'avons aujourd'hui aucun moyen de savoir si elles sont éteintes ou simplement endormies. Leur nom à lui seul suffit à évoquer leur image : le Kilimandjaro, dressant dans les plaines africaines, presque à l'équateur, sa coupole enneigée à 5 978 mètres d'altitude, le Popocatepetl (5 439 mètres) et l'Ixtaccihuatl (5 215 mètres) les deux frères géants du Mexique, le Fuji-yama (3 800 mètres), la Montagne sacrée du Japon se découpant sur le ciel, dans l'île de Hondo. Des volcans de moindre taille ont terrorisé l'histoire des hommes par leurs éruptions : le Vésuve et l'Etna en Italie, le Krakatoa en Indonésie, le Timboro à l'est de Java et la Montagne Pelée aux Antilles, dans l'île de la Martinique.

LE quatrième et dernier important processus de formation des Montagnes aboutit à ce que l'on nomme des « monts-dômes ». Produits par le volcanisme, ils n'ont ni le comportement ni l'aspect des volcans classiques. Ils résultent d'un jaillissement de roche en fusion par une fracture profonde de la terre, mais la fracture n'atteint pas la surface et la roche fondue commence à s'accumuler dans une vaste poche, à l'image de l'eau s'accumulant dans une ampoule entre deux couches de peau chez l'homme. Dans le cas des monts-dômes, les couches de peau sont des couches de roche de l'écorce terrestre et la roche en fusion jaillissant d'en bas et ne trouvant pas d'issue pousse simplement le sol en une excroissance de forme arrondie ou ovale sans provoquer de point de rupture. Finalement, elle durcit et, s'il se produit une érosion suffisante au-dessus, un grand dôme apparaît. Les meilleurs exemples de ces dômes aux États-Unis se trouvent dans les Henry mountains, au sud de l'état d'Utah. Les dômes sont connus sous le nom de laccolites et, lorsqu'on les regarde de profil, ils semblent avoir la forme de boules de gomme au sommet arrondi et à la base aplatie.

Ces divers types de Montagnes — cônes volcaniques et dômes, Montagnes plissées et faillées — se présentent souvent côte à côte, semblant défier l'homme d'en faire le tri. En outre, elles se désagrègent et s'érodent de différentes manières, de telle sorte que la surface de la terre est marquée de formes d'une variété infinie.

Même lorsque les roches sont soulevées, les forces d'érosion commencent à tailler la strate. Cette érosion se produit rarement à une vitesse uniforme car certaines roches sont plus résistantes que d'autres. Souvent, une rivière les coupe verticalement, exposant les couches les unes après les autres, comme les couches d'un gâteau. Parmi les sites de cette sorte les plus spectaculaires, citons le Grand Cañon où une strate verticale de 1 600 mètres a été rendue visible par l'action de clivage du Colorado.

En raison de l'érosion constante qui s'y produit, du plissement, des fractures et du replissement, il pourrait sembler impossible de reconstituer l'histoire d'une Montagne quelconque. Néanmoins, des indications subsistent. La façon la plus utile de calculer l'âge des sommets non volcaniques est d'étudier les fossiles que l'on trouve dans leurs roches sédimentaires. Ces fossiles sont les vestiges de la vie animale et végétale qui se sont trouvés ensevelis et qui ont durci lorsque les sédiments eux-mêmes se sont consolidés en roche. Comme ces fossiles correspondent toujours à une période définie du développement de la vie sur terre, et

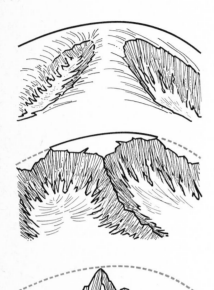

UN SOMMET POINTU comme le Cervin doit sa forme à l'action érosive des glaciers. La neige tombée sur un sommet élevé et arrondi (en haut) entame ce processus en s'infiltrant dans la roche tandis que sa surface fond au soleil. La roche pressurée se fend lorsqu'elle gèle, la nuit. Lorsque la couche de neige s'épaissit, et devient glace compacte, elle balaie les fragments de terrain vers la vallée, broyant sans relâche les cavités ravinées.

Les glaciers ainsi formés élargissent ces trous, comme l'indique le second schéma, créant entre chacun d'eux des divisions bordées de crêtes, ou arêtes. La glace, descendant de tous côtés, continue à miner les flancs de la Montagne, laissant un pic pointu et déchiqueté à la place du dôme original indiqué par une ligne pointillée.

comme ils ne peuvent provenir que de créatures qui se sont développées avant la naissance de la Montagne examinée, leur étude peut fournir une date approximative de la formation de la Montagne elle-même.

Le classement des fossiles, par conséquent, est un vaste calendrier du passé, progression émouvante partant de formes de vie totalement disparues jusqu'aux plantes et aux animaux que nous connaissons aujourd'hui. Le point le plus important de ce calendrier se situe il y a 600 millions d'années, lorsque les méduses, les vers au corps flasque et autres animaux marins furent « naturalisés » pour la première fois. Ce fut l'ère paléozoïque, ou primaire, le temps des « animaux anciens », qui prit fin il y a 230 millions d'années. L'ère mésozoïque, ou secondaire, lui succéda, règne des « animaux intermédiaires » y compris des grands dinosaures, et elle durait encore il y a 63 millions d'années. La dernière est l'ère cénozoïque, ou tertiaire, lorsque « les animaux récents », les oiseaux et mammifères à sang chaud, commencèrent à contester sérieusement aux reptiles leur suprématie sur terre. L'homme n'apparaît parmi les fossiles que dans les sédiments accumulés au cours des deux derniers millions d'années.

Des différentes périodes connues de surrection des Montagnes, trois au moins étaient achevées avant le commencement de l'ère paléozoïque et elles ne contiennent presque aucun fossile pour aider les savants à reconstituer leur histoire, qui est en outre compliquée par les vestiges d'obscurs soulèvements qui se produisirent plus tôt encore dans l'histoire de la terre. Malgré cela, les géologues ont quelque idée du temps où elles apparurent et, de là, peuvent même avoir une conception sommaire de ce qu'étaient les continents et leur forme. Sur ces derniers points, cependant, les conceptions ont tendance à être aussi nombreuses que les savants eux-mêmes.

Grâce aux fossiles toutefois, les dernières périodes de surrection des Montagnes présentent un tableau beaucoup plus net. Les plissements calédoniens se sont produits il y a environ 400 millions d'années et ils sont responsables de certains reliefs qui persistent encore à la surface du globe : les Highlands d'Écosse, le Groenland couvert de glaciers et les Montagnes scandinaves. C'est tout ce qui subsiste de cet ancien soulèvement bien qu'on sache qu'une chaîne importante s'étendait de la côte orientale de l'Amérique du Nord au Groenland, et dans la partie occidentale du Nord de l'Europe, traversant la Finlande, la péninsule scandinave et les Iles Britanniques. Elle séparait l'océan Atlantique nord de l'océan Arctique et ses sommets étaient parmi les plus hauts du monde à cette époque.

CENT SOIXANTE-DIX millions d'années plus tard, à la fin de l'ère paléozoïque, un autre grand soulèvement eut lieu. Il forma de nouvelles chaînes de Montagnes, notamment celles de la partie orientale des États-Unis : les Adirondacks, les Green Mountains, les Catskills, les Great Smokies et d'autres. Le grand âge de ces Montagnes est confirmé par leurs formes basses, allongées et arrondies. Le groupe, généralement connu sous le nom d'Appalaches, a encore des strates sédimentaires totalisant plus de 9 kilomètres d'épaisseur et très riches en fossiles. A la même époque, apparurent également les Montagnes de l'Oural et quelques chaînes orientées est-ouest, exactement au nord du massif actuel de l'Himalaya.

Une période relativement calme succéda, qui marqua l'apogée des dinosaures (ère mésozoïque). Pendant la plus grande partie de cette ère, de larges vallées marécageuses et de nouvelles mers peu profondes fournirent des terrains sédimentaires permettant de nouvelles préservations de fossiles. Comme les chaînes montagneuses s'usaient et que les cours d'eau coulaient de plus en plus lentement, peu d'indices laissaient supposer que l'agitation s'intensifiait au sein de l'écorce terrestre. Cependant le monde se préparait, amassant l'énergie qu'il allait utiliser pour donner à la planète un grand nombre de ses hauts pics actuels. L'étude des fossiles montre que quelques oiseaux volaient et que les premiers mammifères existaient déjà lorsque les grands soulèvements commencèrent enfin, il y a 70 millions d'années. Ils affectèrent le Nouveau Monde presque d'un pôle à l'autre, soulevant les Andes et les Montagnes Rocheuses. Ils commencèrent également l'élévation spectaculaire de l'Himalaya, au nord-est de l'Inde. Même ce spasme puissant n'épuisa pas pleinement l'énergie contenue. Il y a 15 millions d'années environ, la surface de la planète était une fois encore déformée : la chaîne des Cascades en Amérique, et les Alpes en Europe, se dressaient vers le ciel tandis que le massif de l'Himalaya était porté à son altitude présente, la plus élevée du monde.

Bien que la surrection et l'effondrement des Montagnes provoquent une grande confusion géologique, l'une et l'autre mettent néanmoins en lumière des faits qui, si l'écorce terrestre était statique, ne nous apparaîtraient jamais. Nous avons pu ainsi découvrir récemment que l'écorce des continents était structurée de matériaux différents de celle des océans. Les continents sont faits de granit, le fond des océans est fait d'un genre de roche plus dense, le basalte.

Les continents granitiques légers semblent flotter dans le basalte plus lourd, comme les icebergs flottent sur l'eau. Tout comme un iceberg est largement caché, une faible fraction de sa masse formidable étant seule exposée à l'air, de même les continents s'appuient peut-être profondément sur le basalte. Ils y sombreraient un peu plus encore s'il ne se trouvait un contrepoids soutenu par le basalte ailleurs : l'eau sur les fonds océaniques. De plus, tout comme un iceberg sort de l'eau au fur et à mesure que sa partie émergée fond au soleil, une Montagne se soulève davantage au fur et à mesure de son usure. Ceci est valable pour la croissance de certaines Montagnes longtemps après qu'elles aient semblé avoir atteint leur taille définitive. Cela donne également un sens à une autre hypothèse : toute région montagneuse importante ou toute chaîne de Montagnes serait, en fait, double. Une partie, la plus petite, serait visible, les sommets pointés vers le ciel. Au-dessous se trouverait une masse plus grande, plus arrondie s'avançant dans le manteau de la terre. Cette théorie des Montagnes renversées porte un nom : l'isostasie. Elle explique pourquoi l'écorce terrestre est plus épaisse sous les continents que sous la mer; elle doit l'être en effet pour supporter le poids des continents.

Pour vérifier certaines de ces théories, pour déterminer à quel point en sont les choses au fond de l'écorce, les savants ont récemment mis au point le projet de forer un trou droit jusqu'au manteau. Le point le plus simple pour effectuer cette opération semblerait se situer sur terre. Mais — si on se souvient de la théorie de l'isostasie et de l'analogie avec l'iceberg — il est clair que l'écorce risque d'avoir là 50 ou 60 kilomètres d'épaisseur. Forer du granit sur cette profondeur pose des problèmes mécaniques d'une complexité si décourageante que l'audacieuse proposition a été formulée d'un forage en mer, en mer profonde, où l'on suppose que la couche de basalte du fond est plus mince, variant de 6 à 8 kilomètres. Cette entreprise a été baptisée Opération Mohole, une fois encore en l'honneur du sismologue yougoslave A. Mohorovicic qui découvrit l'endroit où se rencontrent l'écorce et le manteau. En 1961, la technique du forage en mer profonde était expérimentée avec succès mais le grand trépan qui fera des ponctions dans le manteau reste encore à fabriquer. Lorsqu'il le sera, des échantillons de ce manteau pourront alors être prélevés. D'après eux, la structure moléculaire des matériaux du manteau révèlera peut-être si celui-ci se contracte ou se dilate dans des conditions données, comme la glace et l'eau. Ces données pourront conduire à des conclusions plus valables sur les mouvements profonds qui se produisent sous nos pieds. Nous savons qu'ils ont lieu : les pics élevés dressés vers le ciel sur chaque continent en sont la preuve évidente. Mais la façon dont se produisent ces mouvements reste encore un mystère.

La ligne de crête, arête de couches rocheuses relevées par un soulèvement important, encercle un plateau érodé du Nouveau Mexique.

Les forces de surrection

Sur la majeure partie du sol, la structure de base de l'écorce terrestre est dissimulée par l'humus et la végétation. Mais, en étudiant la roche dénudée des Montagnes, les géologues ont beaucoup appris sur les forces considérables qui les ont soulevées et, du même coup, sur l'histoire de la terre elle-même. Des exemples de ces forces de surrection — plissement, dislocation et volcanisme — sont présentés dans les pages suivantes.

UNE « JEUNE » CHAINE a des contours escarpés et déchiquetés comme ceux du Lone Pine Peak *(à gauche)* et du Mont Whitney (4 418 mètres, *à droite).* Situés dans la Sierra Nevada, ces sommets se dressent tels une longue muraille sur le versant oriental de la Californie. S'élevant là où d'autres chaînes furent soulevées jadis et disparurent, les Sierras n'ont peut-être pas plus d'un million d'années. Au cours de cette période, bref espace de temps pour la géologie, mais temps de grande agitation pour l'écorce terrestre de la partie occidentale des États-Unis, de fantastiques dislocations parcoururent les 650 km de sierra, soulevant les chaînes de plus de 1 800 mètres par endroit et les laissant inclinées en une pente plus douce vers l'ouest. En 1872, de nouvelles élévations accompagnèrent un grand tremblement de terre, et certaines parties des Sierras sont encore en élévation.

CHAINE « ANCIENNE » par leur apparence et par leur âge, les Green Mountains, dans le Vermont, sont en pleine maturité. Leurs ondulations sont peu élevées, leurs sommets arrondis, leurs pentes sont très douces et boisées, et les vallées verdoyantes sont traversées de cours d'eau lents et sinueux. Les soulèvements complexes qui formèrent la chaîne débutèrent il y a environ 230 millions d'années et continuèrent sporadiquement pendant près de 160 millions d'années. Les Green Mountains entrèrent alors dans une période de stabilité relative. Lentement, l'eau, le vent et les glaciers réduisirent les plus hauts pics à de simples encoches et amassèrent au fond des vallées d'épais dépôts de moellons de roche et de terre des sommets. Le processus de nivellement peut continuer pendant des millions d'années avant que de nouvelles surrections ne viennent rajeunir la région.

Les hautes terres du globe

Si le niveau des océans s'élevait de 900 mètres, les trois quarts des terres actuelles se trouveraient immergées. A l'exception de l'inhospitalier Antarctique, glacé et solitaire, d'une altitude moyenne de 2000 mètres, le quart restant apparaît ci-dessous : ce sont les principales chaînes montagneuses et les hauts plateaux.

EUROPE
1 Alpes
2 Apennins
3 Pyrénées
4 Chaîne scandinave
5 Chaîne des Balkans
6 Carpates

AFRIQUE
7 Plateaux sud-africains
8 Plateaux d'Afrique orientale
9 Ruwenzori
10 Plateau éthiopien
11 Plateau de Madagascar
12 Hoggar
13 Tibesti
14 Atlas

ASIE
15 Plateau d'Arabie
16 Plateau d'Anatolie
17 Caucase
18 Oural
19 Plateau d'Iran
20 Monts Zagros
21 Elbourz
22 Karakoram
23 Kouen Lun
24 Hindou Kouch
25 Himalaya
26 Plateau du Tibet
27 Tian Chan
28 Altaï
29 Plateau de Mongolie
30 Monts de la Kolyma
31 Monts de Barisan

AMÉRIQUE DU NORD
32 Montagnes Rocheuses
33 Sierra Nevada
34 Cascades
35 Appalaches
36 Chaîne de Brooks
37 Chaînes de l'Alaska
38 Hauts plateaux et Montagnes du Mexique
39 Inlandsis du Groenland

AMÉRIQUE DU SUD
40 Andes
41 Plateau des Guyanes
42 Plateau brésilien

Dislocation, plissement et volcanisme

Ce panorama imaginaire, à droite, et la coupe correspondante de l'écorce terrestre, au-dessous, illustrent les principaux types de Montagne. A gauche, se trouvent deux chaînes parallèles dues à des dislocations; leur coupe révèle des couches de roches sédimentaires et une couche volcanique noire, toutes brisées par le soulèvement du massif. Dans les montagnes plissées *(centre gauche)*, les strates de la structure n'ont pas été fracturées mais ondulées par la pression formant ainsi une partie bombée (anticlinal) et une partie déprimée (synclinal). L'érosion a usé les sommets des anticlinaux, laissant à nu deux parties centrales dures entre deux arêtes elliptiques.

Plus bas, à droite, on aperçoit les restes d'un ancien volcan — plusieurs pitons volcaniques que forma la lave en fusion se sont solidifiés dans les fentes d'un cône de cendres et sont demeurés après que le cône lui-même eut disparu par érosion. Partant du piton central se trouve un remblai volcanique — un mur de lave qui s'était introduit dans une fracture sous-jacente et qui est apparu quand a disparu la roche tendre alentour. La montagne en dôme *(centre droit)* — jaillissement de granit en fusion — a forcé les strates horizontales et a été, elle aussi, exposée à l'érosion. Baguant le dôme, on distingue deux lignes de crête concentriques, vestiges des couches sédimentaires qui le recouvraient autrefois.

Les forces de dislocation, de plissement et du volcanisme se sont conjuguées pour construire la chaîne montagneuse de l'arrière-plan. Un volcan mixte *(en haut, à droite)* formé de couches alternées de cendre et de lave a vomi ses gaz et ses cendres sur toutes les hauteurs alpines. Des champs de neige, devenue de la glace compacte par fusion, par le gel répété et par le propre poids des différentes couches de neige, sont à l'origine des petits glaciers *(en haut, à gauche)* qui se rejoignent pour n'en former qu'un seul grand. Descendant la pente, les glaciers forment sur leurs bords des moraines de roches et de graviers; quand ils se réunissent, ils forment une moraine médiane au centre du nouveau glacier.

46

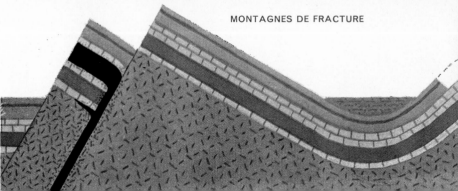

MONTAGNES DE FRACTURE

MONTAGNES PLISSÉES　　　　MONTAGNE EN DÔME　　　　VOLCAN

CETTE MONTAGNE plissée dans les Rocheuses, au Canada, montre clairement le processus de soulèvement. Les strates de roche ont été courbées et orientées vers le haut par la pression venue de deux côtés opposés.

Le modelé d'une montagne

Chacun des trois sommets représentés à gauche et ci-contre a été soulevé par les forces de dislocation, de plissement et de volcanisme, responsables de la surrection des Montagnes. La plupart des massifs ont une origine complexe et sont le produit de plusieurs de ces forces. L'aspect de chacun d'eux permet de constater le travail d'un autre agent : l'érosion, qui imprime une forme aux Montagnes en les usant purement et simplement. Aucune chaîne n'est assez jeune pour n'avoir pas été grandement modifiée par l'érosion et bien peu ont échappé à l'insidieuse action de la glace, action poursuivie et accrue par la marche massive des glaciers. Alimentés par l'accumulation des neiges, ceux-ci ont complètement remodelé la côte sud-ouest de l'île sud de la Nouvelle-Zélande *(ci-dessous)* creusant des fjords profonds dans une épaisse pénéplaine.

Au centre de ce fjord néo-zélandais, un sommet de 1 695 mètres, en forme de mitre, a été formé par la glaciation qui a ciselé de profondes vallées sur ses

CETTE MONTAGNE de formation complexe, à proximité de Banff, au Canada, est coiffée de couches de roches sédimentaires qui furent disloquées et inclinées lorsque la masse rocheuse s'affaissa, fracturée par une pression formidable.

LE DEMI-DOME DE YOSEMITE doit sa paroi verticale à des couches de granit comparables à des couches épithéliales. Celles-ci ont été fissurées par les changements de température puis emportées par un glacier.

flancs. Le fjord fut envahi par la mer il y a 11 000 ans, lorsque la fusion des glaciers sur le globe provoqua une élévation de 75 mètres du niveau des océans.

RENAISSANCE D'UN VOLCAN.
L'île de Wizard, dans le lac Cratère,
dresse son cône de cendres symétrique sur les vestiges submergés
d'un volcan beaucoup plus grand. Il
y a six mille cinq cents ans, une Montagne de plus de 3 200 mètres s'ef-
fondrait dans la vaste cavité d'où
s'était écoulée sa lave, laissant derrière
elle une *caldera* de près de 10 000
mètres de large et de 1 200 mètres de
profondeur. Le lac Cratère, qui emplit
la moitié de la *caldera*, est le
lac le plus profond des États-Unis.

UN CÔNE DE CENDRES en action. Le Paricutín, au Mexique, projette des arcs colorés de roches incandescentes à des centaines de mètres dans l'espace. Le volcan peut vomir plus de 2 000 tonnes de matériaux solides en une seule minute.

3

Les volcans

LES volcans sont des Montagnes indépendantes. Violents et beaux, mystérieux et changeants, ils obéissent rarement aux règles qui gouvernent le comportement des Montagnes ordinaires. Ces dernières grandissent ou s'amenuisent imperceptiblement; les volcans, eux, affichent un tempérament bruyant et explosif, naissant dans des cataclysmes soudains et brûlants, et s'élevant parfois de plus de 300 mètres en un an. Il n'en existe pas deux semblables. Aucun ne conserve une forme identique d'une année à l'autre. Et tous partagent jusqu'à leur extinction finale une qualité unique : leur pouvoir d'auto-construction et d'auto-transformation grâce aux matériaux bruts en fusion remontés des entrailles tourmentées de la terre. On a beaucoup appris sur eux, en particulier au cours du demi-siècle passé, mais bien des éléments relatifs à leurs causes et à leur comportement restent encore un mystère absolu.

Depuis les civilisations primitives, des peuples ont vécu dans le giron perfide des cônes volcaniques. Tout d'abord parce que de nombreux volcans se dressent sur des îles où la terre est primordiale. Ensuite, parce que les projections volcaniques constituent un terrain excellent pour les cultures. Mais les Montagnes de feu ont exigé un redoutable tribut des peuples opiniâtres qui se sont massés à leur base; au cours des deux mille dernières années, plus de 1 million de vies humaines ont été anéanties par l'activité volcanique. Il est facile de comprendre la croyance universellement répandue chez les Anciens qui attribuaient aux dangereux sommets se profilant au-dessus d'eux des qualités surnaturelles. Pour apaiser l'esprit hostile de l'El Misti, les Incas péruviens construisirent un temple dans le cratère même, et ils firent souvent des sacrifices humains pour calmer les forces de la nature qu'ils ne concevaient pas. Les Grecs eux-mêmes, malgré toute leur logique, ne parvinrent jamais à donner une explication raisonnable des phénomènes volcaniques. Aristote fut assez perspicace pour deviner que tremblements de terre et volcans se trouvaient plus ou moins associés, mais il attribua la cause des uns et des autres à de terribles tempêtes souterraines. Il croyait que des vents violents soufflaient profondément à l'intérieur de la terre où ils s'enflammaient pour s'échapper à l'air libre par le cratère des volcans. Ses contemporains acceptèrent généralement sa théorie.

Mais les volcans allaient faire l'objet d'études plus scientifiques et d'observations très amples dès les premiers siècles de l'ère chrétienne. Un Romain, Pline l'Ancien, mourut au cours de cette étude pour s'être trop approché du Vésuve au cours de l'éruption du 24 août de l'an 79. Dans un récit remarquable, premier compte-rendu détaillé d'une éruption volcanique, son neveu nous décrit le drame et l'intrépidité de Pline : « On pouvait entendre les hurlements des femmes, les cris des enfants et des hommes... Certains tendaient les mains vers les dieux; d'autres, convaincus qu'il n'en existait aucun, pensaient que la nuit éternelle et finale que l'on nous avait annoncée s'abattait sur le monde ». Mais Pline « se mit immédiatement en route vers la zone dangereuse que fuyaient les hommes, observant tout avec une témérité folle, à tel point qu'il fut capable de dicter une description et de prendre des notes sur tous les mouvements et tous les aspects de la catastrophe qui se déroulait sous ses yeux ». Finalement, Pline, qui était resté trop longtemps, « suffoqua sous les vapeurs épaisses » et s'évanouit. Il fut l'une des 16 000 victimes qui — croit-on — perdirent la vie dans la seule ville de Pompéi. Beaucoup d'autres sont encore ensevelies et n'ont jamais été dénombrées dans les petites villes voisines.

Au XVIIe siècle, le philosophe français Descartes considéra que l'action volcanique était le résultat de formidables conflagrations de pétrole dans le sous-sol, hypothèse plus valable que celle d'Aristote mais encore bien loin de la réalité. Ce n'est qu'au XXe siècle que des outils perfectionnés et des techniques nouvelles permirent aux savants de sonder la véritable nature des phénomènes volcaniques. Explorant les profondeurs des volcans à l'aide de sismographes, mesurant les changements infinitésimaux survenant dans la topographie du terrain au-dessus d'eux avec des inclinomètres, soumettant les projections volcaniques à des analyses chimiques et, 24 heures sur 24, poursuivant leur enquête sur les cratères en activité grâce à des observatoires permanents installés sur leur pourtour, les vulcanologues ont lentement découvert ce qui fait s'agiter ces Montagnes déroutantes et ce qui les fait s'endormir.

Bien qu'il n'y ait pas deux volcans identiques, les différences de leur comportement permettent de les diviser en deux catégories assez distinctes : volcans à explosions et volcans à éruptions tranquilles. Chacun de ces types présente une grande variété de comportements mais les premiers tendent à former un cône volcanique classique, par la superposition de matières solidifiées vomies par un cratère central, au sommet. Ces Montagnes sont littéralement construites par leurs propres projections de vapeurs, de gaz, de cendres, de roches de diverses espèces et de lave. Elles peuvent s'élever rapidement par une succession d'éruptions fort rapprochées puis s'endormir, ou bien leur croissance peut être lente et sporadique et s'étaler sur des milliers d'années. Au niveau actuel de nos connaissances, il est impossible de déterminer si un cône volcanique ayant eu récemment quelque activité est vraiment « mort ». Tout ce qu'il est possible de dire, c'est

UNE ÉRUPTION «TRANQUILLE» se produit lorsque la lave, soulevée par les pressions souterraines, s'écoule d'une brèche au flanc du volcan. C'est l'aspect le moins violent des trois formes classiques d'activité volcanique sur cette page.

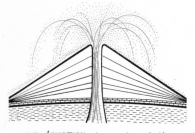

UNE ÉRUPTION de cendres brûlantes forme un cône. La poussière ardente, éjectée par les gaz libérés, retombe sur les flancs du volcan et construit ce sommet symétrique associé à ce type d'éruption. Pluies de cendres et coulées de lave alternent dans de nombreux volcans.

UNE ÉRUPTION VIOLENTE fait exploser un cône de lave et de cendres et peut éjecter à plusieurs centaines de mètres de hauteur des milliers de tonnes de roche. Souvent, un nouveau cône commence à se former dans le cratère élargi. Le Vésuve fit ainsi explosion une fois, comme bien des volcans en activité.

que plus longtemps il reste sans avoir d'éruption, plus il y a de chance pour qu'il soit éteint. Selon la tradition et l'histoire romaines, le Vésuve n'avait jamais eu d'éruption avant l'explosion de l'an 79, bien qu'il fumât de temps en temps et qu'il fût de toute évidence d'origine volcanique, exactement comme l'Etna et le Stromboli, ses voisins. Depuis cette époque, le Vésuve a eu un certain nombre de petites éruptions et 18 importantes, la dernière datant de 1944. Cependant, nul ne peut prédire exactement quand aura lieu la prochaine ou même s'il s'en produira jamais d'autre; aucun savant cependant ne serait assez imprudent pour affirmer que le Vésuve est éteint.

Les éruptions de certains cônes d'éjection sont relativement modérées mais d'autres font plus que justifier leur nom. Ils font littéralement explosion. Ces éruptions dépassent par leur violence les plus importantes explosions nucléaires et elles sont terrifiantes au-delà de toute expression. La destruction d'une partie de l'île de Krakatoa, dans le détroit de la Sonde, en 1883, en est un exemple caractéristique. Cette explosion provoqua la disparition d'une Montagne tout entière. Elle lézarda des murs à Buitenzorg, dans l'île de Java, à 160 kilomètres de là, elle provoqua des raz de marée qui coûtèrent la vie à 36 000 personnes sur les rivages avoisinants, et on put entendre sa détonation à 4 800 kilomètres à la ronde. La poussière projetée dans l'air n'acheva de retomber qu'un an plus tard, offrant aux hommes du monde entier le spectacle de magnifiques couchers de soleil. On crut pendant longtemps que la grande dépression, ou *caldera,* qui demeure à la place de la Montagne, de 6 à 8 kilomètres de large et de 300 mètres de profondeur maximale, était la conséquence de la disparition du sommet de la Montagne. Mais, d'après des études plus récentes, les vulcanologues sont convaincus que l'explosion — qui éjecta hors du cratère 17 milliards de mètres cubes de ponce et d'autres roches brûlantes — vida une cavité souterraine, provoquant ainsi un effondrement intérieur et l'engloutissement du sommet. Une explosion similaire, en 1815, du volcan Tambora, dans l'île de Sumbawa, à l'est de Java, tua approximativement 46 000 personnes; les unes furent noyées, les autres moururent de faim et de maladie.

Distinguer une éruption tranquille d'une éruption violente n'est pas toujours aisé puisqu'il y a eu des éruptions si soudaines et si dramatiques — comme celle de la Montagne Pelée à la Martinique — qu'on peut presque les qualifier d'éruptions explosives. Au printemps de l'année 1902, Saint-Pierre, au pied du volcan, était l'une des villes les plus prospères des Antilles. Port principal de l'île, elle se trouvait adossée à de vertes plantations de canne à sucre. Projetant son ombre sur la ville, à 8 kilomètres de là, se dressait le cône endormi depuis un demi-siècle de « Papa Pelé » affectueusement baptisé ainsi par les Pierrotins. Son sommet était le lieu de rendez-vous des nombreux pique-niqueurs du dimanche. C'est alors que l'impossible se produisit. Un matin, là où, quelques jours auparavant, des maisons inondées de soleil se chauffaient sur le front de mer, il ne resta que des ruines. Dans ces ruines gisaient les corps des 30 000 habitants de Saint-Pierre sauf un : celui d'un prisonnier enfermé dans un cachot souterrain.

Les témoins oculaires des villes voisines racontèrent plus tard la catastrophe. La Montagne Pelée n'était pas passée à l'attaque sans avertissement. Depuis plusieurs semaines, elle avait été particulièrement agitée, éjectant de la fumée et des cendres, faisant vibrer la ville de petits tremblements de terre. Une fois, après une brève explosion, elle avait englouti une raffinerie de sucre construite sur l'un de ses versants, ensevelissant 150 ouvriers dans un torrent de boue brûlante. Bien qu'une partie de la population eût été évacuée, Saint-Pierre était envahi de tous ceux qui avaient fui la Montagne.

Puis, au matin du 8 mai, à 7 h. 52, une brèche gigantesque s'ouvrit sur le versant sud du volcan, celui dominant Saint-Pierre, et l'air fut ébranlé par un bruit comparable à celui que feraient « toutes les machines du monde se brisant au même instant ». Deux formidables jets de fumée ardente jaillirent de la fissure, l'un s'élevant à 11 kilomètres de hauteur dans le ciel, l'autre dévalant le volcan vers le port et la mer. Roulant et se déversant comme des « lions bondissants », le nuage incandescent, chargé des débris de l'explosion, balaya la cité à une vitesse estimée à 8 ou 10 kilomètres par minute. A Fort-de-France, la ville voisine, la télégraphiste finissait tout juste de prendre l'habituel rapport quotidien concernant l'état du volcan que venait de lui dicter sa collègue de Saint-Pierre. Elle commençait à en accuser réception quand la ligne fut détruite.

Une question a été posée à laquelle la science moderne a partiellement répondu : qu'y avait-il dans le terrible nuage qui anéantit Saint-Pierre et qu'y avait-il peut-être aussi dans le nuage vésuvien également meutrier qui, en une seule nuit, en 1906, tua 200 personnes ? Les deux catastrophes avaient des points communs. Les composants essentiels semblent avoir été des vapeurs brûlantes atteignant 800 ºC. En suspension dans cette vapeur se trouvaient des tonnes de roches pulvérisées par l'explosion et chauffées au rouge. Ces roches donnèrent au nuage le poids nécessaire pour s'abattre sur Saint-Pierre. Il est presque certain que des gaz se trouvaient mêlés à ces vapeurs, probablement de l'oxyde de carbone, (gaz mortel dégagé par les moteurs à combustion interne) et, plus meurtrier encore, de l'hydrogène sulfuré. Vu la nature de cet amalgame et son effroyable chaleur, le fait qu'il y ait eu même un seul survivant à cet holocauste reste remarquable.

Un second type de volcan — et le mieux connu car ses activités sont plus modérées et il est possible de l'étudier de plus près que le type explosif — est le volcan bouclier, de type hawaiien. Il est caractérisé par de grandes coulées de lave qui débordent par de longues fissures sur les pentes et construisent progressivement de larges plaques doucement inclinées mais d'une épaisseur fantastique, auxquelles il doit son nom. Un parfait exemple de ce type est le Mauna-Loa, sur l'île d'Hawaï, gigantesque superposition de lave de 112 kilomètres de longueur. Cette traînée de lave se poursuit d'ailleurs jusqu'à la base véritable du volcan, à 4 800 mètres sous les flots, et la Montagne tout entière, du fond de l'océan à son sommet, est la plus haute du monde, dépassant l'Éverest de près de 300 mètres.

Un recensement des volcans du monde révèle plusieurs milliers de cônes et relativement peu de volcans de type hawaiien. En comptant les uns et les autres, il existe de nos jours moins de 500 cônes en activité. Leur répartition est une énigme car les volcans ne sont pas disséminés de façon désordonnée à la surface de la terre; ils apparaissent, au contraire, étrangement alignés. Il ne s'en trouve aucun dans les grandes régions montagneuses de plissement comme l'Himalaya ou les Alpes et, à l'exception de la grande vallée d'effondrement en Afrique, ils sont rares à l'intérieur des continents. En arcs de cercle, ils s'étirent le long des rebords continentaux du Pacifique, des fosses océaniques profondes et des grandes fractures de l'écorce terrestre, et suivent la ligne formée par des grandes chaînes d'archipels, comme des perles enfilées à des colliers gracieusement tendus. Mais les perles ne sont assorties ni par leur taille, ni par leur forme, ni par leur vigueur.

Les volcans les plus actifs se trouvent à l'intérieur d'une zone dénommée « la ceinture de feu », qui encercle l'océan Pacifique et ses rivages. L'extrémité sud de cette ceinture est l'île de Ross sur les rivages de l'Antarctique où le mont Erebus se dresse dans son froid manteau blanc de neige éternelle, faisant flotter dans l'air polaire un panache incongru de vapeur. Se prolongeant vers la côte occidentale de l'Amérique du Sud, le long des Andes, la ceinture comprend l'Aconcagua en Argentine, que certains experts croient être un volcan depuis longtemps éteint et qui, si cette supposition est exacte, est le plus élevé des pics volcaniques du monde. Au Pérou et en Équateur, la ceinture se divise pour intégrer dans son cours toute une série de volcans dont le Cotopaxi (5 896 mètres), le plus haut de tous les cônes en activité, et l'El Misti, étagé, presque aussi élevé. Là aussi couve le Sangay, l'un des volcans les plus constamment actifs. A l'occasion, le Sangay catapulte dans l'air des blocs de pierre de la taille d'une petite maison, à la vitesse de 1 600 kilomètres à l'heure.

La ceinture s'avance dans les Caraïbes pour englober la Montagne Pelée, le mont Misère sur l'île Saint-Kitts et quelques autres cônes antillais, puis se dédouble en arrière, en Amérique centrale. Au Mexique, elle compte le Paricutín, un cône de cendres né en 1943 dans un champ de maïs et haut maintenant de 400 mètres. Le long de la côte Pacifique, elle comprend le Lassen Peak, le mont Shasta, le mont Hood, le mont Rainier et le mont Baker, tous aux États-Unis. En Alaska, la ligne suit la grande courbe des Aléoutiennes au-delà du cratère du Katmaï, creusé en 1912 par l'une des grandes éruptions de l'histoire, qui étouffa Kodiak, à 160 kilomètres de là, sous une pluie de cendres de 25 à 30 centimètres d'épaisseur. Traversant le détroit de Béring et descendant la péninsule russe du Kamchatka, qui compte 127 volcans et qui est l'une des régions volcaniques les plus actives du globe, la ceinture s'étire à travers les Kouriles jusqu'au Japon où règne le Fuji-yama, le plus beau cône du monde. Viennent ensuite aux Philippines le Taal et le Mayon formés essentiellement de lave, deux tueurs qui ont exigé un tribut constant d'hommes au cours des cent dernières années.

Dans les Célèbes, la ceinture de feu du Pacifique rejoint un autre arc de cercle qui s'oriente vers l'ouest en traversant l'Indonésie. La ceinture du Pacifique continue vers le sud, vers la Nouvelle-Zélande, par la Nouvelle-Guinée et les îles Salomon; l'autre ceinture terminée par l'effroyable Krakatoa et le Tambora, en Indonésie, aboutit aux Montagnes non volcaniques de Birmanie et de l'Himalaya; les sommets volcaniques réapparaissent dans le Caucase et en Méditerranée où gisent, toujours actifs, le Stromboli, le Vésuve, l'Etna et enfin le Vulcain, géant endormi qui porte le nom du dieu du feu. D'autres volcans bordent la mer Rouge et la grande vallée d'effondrement africaine que l'on croit être une grande cassure de l'écorce terrestre. C'est là que se dresse, coiffé de neige, à 320 kilomètres de l'équateur, le Kilimandjaro, le sommet le plus élevé du continent (5 978 mètres).

Une chaîne de sommets volcaniques moins importante sillonne l'Atlantique depuis l'Islande — pays témoin de plus de 150 éruptions depuis le dernier âge glaciaire — jusqu'à l'île minuscule de Tristan da Cunha, dont les 269 habitants furent évacués en 1961 lorsque le volcan local, le Pic, calmé depuis au moins quatre siècles et demi, engendra soudain une ribambelle de cônes secondaires éructant des flammes. Dans l'Atlantique également, se situent les volcans des Açores, de l'île de Saint-Paul, d'Ascension et de la solitaire Sainte-Hélène où fut exilé Napoléon. Dans le centre nord du Pacifique, les volcans hawaiiens forment à eux seuls un groupe particulier.

Pour quelle raison ces Montagnes de feu sont-elles disséminées à travers le monde à la manière d'une guirlande, et tout d'abord pour quelle raison existent-elles ? Les vulcanologues ne l'ont pas encore très bien compris. Mais on connaît en grande partie maintenant les matières qui les composent. Le matériau brut de toutes les éruptions et, d'ailleurs, de tous les volcans est un « magma », (il est bon de rappeler, par ailleurs, qu'un volcan est le produit et le véhicule de l'éruption, mais non la cause).

Le magma est une roche en fusion, pâteuse, de couleur rouge orangé, qui remonte dans la cheminée du volcan pendant l'éruption. Il peut être visqueux ou fluide comme de la soupe, sursaturé de vapeur et de gaz délétères ou en contenir peu. Certains magmas sont lourds et alcalins; d'autres sont légers et acides, mais tous atteignent des températures extrêmes :

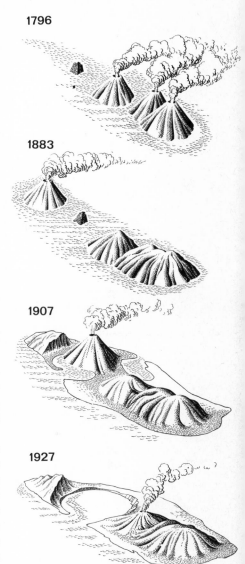

1796

1883

1907

1927

UNE ILE VOLCANIQUE peut sans cesse changer de forme comme le montrent ces images de l'île Bogoslof, dans les Aléoutiennes. Tout d'abord, en 1796, un triple volcan fit éruption. En 1883, un autre surgit à 1 800 mètres des cônes déjà vieillis de 1796. En 1907, une autre éruption se produisait et les débris volcaniques étaient assez abondants pour former des plages. Ultérieurement cette même année, le dernier cône formé explosait avec violence, ne laissant qu'un lagon entre les sommets plus anciens. En 1927, un petit cratère se développait près du lagon et il fume encore aujourd'hui.

environ 1 000 à 1 100 degrés, lorsqu'ils remontent des profondeurs de la terre.

La pâte surchauffée afflue à la surface par des conduits comparables à des tuyaux dénommés cheminées, ou par de longues fissures qui se prolongent dans la croûte terrestre. Jusqu'où exactement vont ces fissures ? A quels réservoirs s'alimentent-elles ? Le sujet est controversé mais la plupart des personnes compétentes croient que le magma vient de la partie supérieure du manteau. De 2 900 kilomètres d'épaisseur, cette couche de roche brûlante, extrêmement dense, se trouve sous la croûte terrestre, qui mesure de 35 à 60 kilomètres sous les continents, mais peut n'en avoir que 3 sous les océans. Le magma est peut-être dû à la fusion partielle de poches du manteau, il peut aussi provenir d'une coquille supposée de matériau en fusion dans le manteau supérieur. Nul aujourd'hui ne pense que le magma vienne du noyau lui-même qui bouillonne sous le manteau, puisque, selon les théories actuelles, ce noyau est constitué de fer et de nickel, lesquels n'ont aucune ressemblance avec les éjections volcaniques.

MAIS pourquoi la roche du manteau est-elle en fusion ? Peut-être parce que la pression se trouve relâchée. Le poids des couches de la surface terrestre exerce une poussée formidable sur le manteau — plus de 15 tonnes au centimètre carré à 50 kilomètres de profondeur. En vertu des lois physiques, cela devrait suffire à maintenir la roche comprimée à l'état solide, malgré la chaleur énorme, qui s'accroît avec la profondeur et qui pourrait dans d'autres conditions provoquer la fusion de la roche. Si, par conséquent, il était possible de réduire d'une façon ou d'une autre la pression dans les profondeurs de la terre, la roche pourrait fondre. On présume que c'est ce qui se passe dans le cas du magma. Imaginons un tremblement de terre faisant basculer une couche profonde de roche de l'écorce et provoquant la formation d'une poche à plus basse pression dans le manteau supérieur, sous la croûte. Lorsque la roche du manteau s'étend dans cette poche, sa densité diminue et sa température de fusion s'abaisse. Bientôt, absorbant la chaleur environnante, elle fond et devient magma. Si le séisme a également provoqué des fissures dans la croûte surplombant cette surface, le magma s'y engouffre et monte vers la surface. Là où il apparaît, naît un nouveau volcan — ou si le conduit est anciennement établi et mène à une cheminée déjà existante, un volcan endormi fait à nouveau éruption.

Mais, quel que soit le processus qui l'amène à ébullition, le type de magma s'élevant dans un volcan détermine la nature de l'éruption, violente ou lente, et le type d'éruption à son tour détermine la nature du volcan ainsi formé. De toute évidence, les éruptions qui ont formé le cône délicat du Fuji-yama sont totalement différentes de celles qui ont constitué la masse beaucoup plus importante mais aux pentes plus douces du Mauna-Loa, à Hawaï. Les facteurs décisifs sont au nombre de deux : la viscosité du magma et sa teneur en gaz. Si le matériau en fusion est épais, le magma s'élève difficilement, il a tendance à durcir et les gaz peuvent avoir du mal à s'échapper. Se bloquant dans des culs-de-sac, ces gaz, ainsi contenus, créent une pression suffisante pour libérer la cheminée par la force d'explosion et projeter la roche durcie en petits fragments.

En s'échappant, les vapeurs qui peuvent contenir de nombreux autres gaz que ceux cités dans les nuages meurtriers du Vésuve ou de la Montagne Pelée s'épanouissent souvent en choux-fleurs, tels des cumulus, à 9 000 mètres d'altitude. La roche en fusion ainsi éjectée se refroidit et se durcit au contact de l'air et retombe sur terre sous des formes variées. La principale est la cendre, fin gravier noir ressemblant au mâchefer des feux à charbon. Retombant tout autour du cratère, elle s'accumule rapidement pour former le cône symétrique habituel. Ces cônes se trouvent souvent groupés, ou bien ils s'étirent sur plusieurs kilomètres de long, marquant le chemin de la fissure volcanique ou de la faille de l'écorce terrestre. Les cônes de cendres sont souvent renforcés de couches de lave alternées et sont alors qualifiés de

L'OIE NÉNÉ, une espèce hawaiienne presque disparue, vit sur les coulées de lave. Au fur et à mesure que l'animal s'est adapté à son existence essentiellement terrestre, les palmes de ses pattes se sont rétrécies. Elles sont maintenant à peu près la moitié de celles des autres oies qui nagent presque tout le temps.

cônes mixtes ; la majorité des grands volcans du monde appartiennent à ce type.

Le magma pulvérisé peut aussi retomber sur terre sous forme d'une fine cendre blanche qui se transforme en une substance compacte appelée tuf. Mélangée à de la vapeur d'eau, à de la pluie ou à de la neige fondue pendant une éruption, la cendre forme une boue épaisse qui, en séchant, devient une sorte de béton naturel. Près d'Herculanum, ces dépôts sont extraits de façon intensive et la couche de cendres boueuses atteint 6 mètres d'épaisseur. Ces cendres ont été rejetées par le Vésuve il y a environ dix-neuf cents ans et servent aujourd'hui de matériau de construction.

Un autre produit d'éruption se trouve également formé à partir du magma lorsqu'il atteint la surface de la terre : les gaz qu'il contient s'échappent en myriades de bulles, donnant naissance à une matière mousseuse pleine d'écume. Cette écume, se refroidissant rapidement, devient de la pierre ponce, roche légère vitreuse fabriquée uniquement par les volcans. Les éruptions volcaniques produisent aussi une autre sorte de roche bizarre : la bombe volcanique. Pesant quelques centaines de grammes ou des centaines de tonnes, la bombe est un lambeau de magma projeté très haut hors du cratère par une explosion. Moulées et solidifiées par leur course dans l'air, les bombes prennent souvent le curieux aspect de fuseaux lisses et ovaloïdes.

Quant aux explosions, celle du Krakatoa fut la plus formidable des temps modernes. En Amérique, le lac Cratère est un exemple de ce qu'une telle déflagration peut provoquer. L'ancien volcan qui dominait le site est maintenant connu sous le nom de mont Mazama. Lorsqu'il fit éruption, il y a six mille cinq cents ans, 68 milliards de mètres cubes de roche, approximativement, se trouvèrent déplacés. Comme 30 milliards de mètres cubes seulement d'éjecta ont été retrouvés à proximité du lac, il faut en conclure que la plus grande partie du mont Mazama fut avalée par son propre cratère.

Peu d'éruptions volcaniques sont aussi violentes. Lorsque le magma émergeant est fluide et que sa teneur en gaz est faible, le débordement est relativement calme. La plus grande partie du magma se déverse par le cratère ou par les brèches au flanc de la Montagne en un flot impétueux de lave qui peut engloutir des villes entières mais qui ne tue généralement personne. Ces coulées ont, en moyenne, 3 mètres d'épaisseur et peuvent se déplacer à la vitesse de 55 kilomètres à l'heure. Si le flot coule rapidement, il peut se solidifier en un verre volcanique noir et brillant. S'il coule plus lentement et que le basalte ait le temps de se cristalliser, il se transforme en une roche lavique noire, le matériau volcanique le plus connu. La lave elle-même prend plusieurs formes. Lisse et cordée en surface, appelée « pahoehoe » à Hawaï, elle est si plissée qu'elle a l'aspect de la mélasse en train de couler. La lave brute, dénommée « aa », est désagrégée et grossière, et les rares coussins de lave ont l'aspect de sacs de sable empilés les uns sur les autres.

Parfois, le magma s'échappe du sous-sol si calmement qu'aucune Montagne volcanique ne se trouve formée. Il y a quelque trente millions d'années, de minces coulées successives se sont échappées d'un certain nombre de longues fissures, à l'ouest de l'Amérique du Nord, pour constituer un immense plateau de lave solide. Recouvert aujourd'hui d'armoise, de forêts et d'herbages fermiers, le champ de lave du Columbia n'est pas aisément reconnaissable, mais il occupe une superficie de 500 000 kilomètres carrés dans les états de Washington, de l'Oregon et de l'Idaho et l'épaisseur de ses centaines de couches de basalte dépasse plusieurs kilomètres.

Longtemps après leur extinction, certains volcans sont usés par l'érosion jusqu'à devenir à peine identifiables ; il n'en reste qu'un étrange squelette de lave qui retrace le chemin suivi par le magma pour arriver à la surface terrestre pendant la jeunesse du volcan. L'arête d'un tel squelette est un piton abrupt, ou un culot de roche noire qui se dresse là où jadis s'élevait le cône. C'est le « neck » central, la gorge de la Montagne obstruée par le magma qui s'est solidifié en une roche dure et qui, étant plus résistant que le cône de cendres et étant abrité par lui, a résisté à l'érosion beaucoup plus longtemps que lui. Autour du culot, on observe généralement un certain nombre de murs à l'arête tranchante ou des filons de roches solidifiées (dykes). Il y avait des cassures dans le versant de la Montagne par où affluait le magma, et ces filons ont, eux aussi, résisté à l'érosion. L'exemple le plus remarquable dans le monde de ce phénomène de sénilité volcanique est le Shiprock, au Nouveau Mexique.

Du Paricutín, dernier né des cônes volcaniques, au Shiprock momifié, les savants ont examiné les volcans à tous les stades de leur vie et de leur mort. Leur étude est intimement liée à celle, plus vaste, de la terre familière et mystérieuse qui se trouve sous nos pieds. Si nous en savions davantage sur cette terre, sur ses origines et ses impénétrables entrailles, nous en apprendrions davantage sur les volcans; par ailleurs, tout renseignement complémentaire obtenu sur les volcans rend la terre moins impénétrable d'autant. Les géologues ont découvert, par exemple, que les ceintures de volcans étaient aussi le centre d'autres désordres de l'écorce terrestre. Tous les tremblements de terre profonds du monde et un grand nombre des séismes de surface ont leur origine sous ces chaînes de Montagnes de feu. Toutes les très jeunes chaînes de Montagnes plissées, comme les cordillères de la côte de Californie, suivent les mêmes axes. Parallèles à elles, se trouvent les fosses océaniques de 9 à 11 000 mètres de profondeur qui ont dérouté la science depuis leur découverte, au début de ce siècle. Tout indique que les ceintures volcaniques actives sont des zones d'agitation intense de l'écorce terrestre, zones au long desquelles de profondes fissures se trouvent formées qui donnent naissance aux volcans et aux autres phénomènes.

Une hypothèse a été formulée par Alfred Wegener sur la façon dont se produisent de telles fissures. Il croyait que les changements importants intervenant le long des ceintures volcaniques étaient dus en grande partie au glissement latéral des continents sur le manteau. Selon cette théorie, les continents ne seraient pas solidement maintenus au manteau mais ils flotteraient dessus, et la rotation de la terre vers l'est créerait une résistance due au frottement sur le tréfonds océanique, qui, lentement, entraînerait les continents vers l'ouest. Conformément à cette théorie, cette espèce de dérive pendant des millions d'années expliquerait que l'emplacement des pôles ait changé et que la végétation tropicale ait prospéré jadis à leur emplacement actuel. Dans la conception de Wegener, c'est l'attraction des masses terrestres vers l'ouest qui a provoqué l'empilement des chaînes de Montagnes le long de la côte du Pacifique de l'Amérique du Nord et de l'Amérique du Sud. Et l'inexorable torsion qui a empilé ces Montagnes les a aussi transpercées de profondes cassures — les bouches d'alimentation qu'utilisent les volcans pour éjecter le magma à la surface.

Deux autres théories tentent d'expliquer les fissures volcaniques, elles sont diamétralement opposées. Comme il a été dit au chapitre 2, l'une d'elles affirme que le globe se rétrécit lentement; l'autre prétend qu'il est en expansion progressive; les deux partis fournissent des preuves. Le concept de la contraction est ancien, il est fondé sur l'idée que la terre se refroidit par rapport à son état initial incandescent et que, par conséquent, elle diminue de volume, se ridant et se craquelant comme une pomme au cours de cette évolution.

La théorie plus récente d'un monde en expansion part du principe que le globe était à l'origine un nuage froid de gaz interstellaire. Lorsque ce nuage s'est condensé en une planète froide, la chaleur radioactive a provoqué son lent échauffement et le processus est toujours en cours. La plupart des substances se dilatent lorsqu'elles s'échauffent et, selon l'opinion de Bruce Heezen, de l'Université Columbia, la terre fait de même. L'existence de la crête médiane océanique le prouve, affirme-t-il. Cette chaîne de Montagnes qui s'étend dans presque tous les océans du monde est fendue sur une grande partie de sa longueur en une étrange déchirure en forme de W, profonde de plusieurs milliers de mètres et large de plusieurs kilomètres. De nombreux tremblements de terre sous-marins prennent leur origine au voisinage de cette déchirure, la plupart juste sous son centre. Heezen pense que la section qui se trouve dans l'océan Atlantique en particulier est une fracture essentielle de l'écorce terrestre qui laisse passer la matière brute des volcans.

Suivant une quatrième théorie émise par F.A. Vening Meinesz, de lents courants évoluent dans la roche rigide mais plastique du manteau terrestre; de ces lentes turbulences provoquées par des différences de température dans la croûte, naissent les forces qui déforment et déchirent les couches les plus rigides de l'écorce. Une autre école encore déclare qu'il n'existe pas de manteau plastique; la terre est un solide rigide et les volcans déversent simplement des couches de roche accidentellement fondues en magma par des concentrations formidables de chaleur souterraine.

De toute évidence, aucune preuve ne peut jusqu'à ce jour être fournie et les théories continueront donc de fleurir. Une autre encore, nouvelle et fascinante, proposée par J. Tuzo Wilson, pose les volcans comme les véritables responsables de la formation des continents. De l'étude d'archipels volcaniques comme les Aléoutiennes et les Kouriles, Wilson a conclu que les nouveaux chapelets d'îles volcaniques émergeant des mers au cours de millions d'années tendent à se former le long de chapelets similaires plus anciens. Puis, après d'autres millénaires, les sédiments enlevés aux sommets par l'érosion emplissent progressivement les étroits espaces d'eau demeurant entre les îles. Tandis que se poursuit le processus de formation de la Montagne, des couches de plus en plus épaisses de sédiments sont ainsi déposées et, finalement, devenues compactes, se trouvent à l'état de roche et s'intègrent à la croûte granitique du continent. En vérité, le déplacement de cet énorme poids de matériau, du sommet de la Montagne au bassin, peut fournir la force nécessaire à la construction de nouvelles Montagnes. Il est possible qu'ultérieurement, une série de chaînes parallèles se trouve constituée, s'étalant concentriquement comme des ondulations dans une mare et aboutissant finalement à la construction de toute une masse continentale.

L A plus grande partie de ce chapitre a traité des violences du volcanisme qui sont hostiles à l'homme. L'histoire a un autre aspect : le rôle bénéfique des volcans, auxquels l'homme doit peut-être son existence même. Il est tout à fait probable que les volcans sont responsables de l'air que nous respirons et de l'eau que nous buvons. Car, outre les gaz nocifs qu'ils éjectent pendant leurs éruptions, ils projettent les éléments de base de l'atmosphère terrestre, entre autres : l'azote, l'hydrogène, le gaz carbonique. Ce dernier est le support de la vie végétale, laquelle à son tour rejette de l'oxygène par le processus de la photosynthèse. Ces gaz peuvent également s'échapper par de petites fissures volcaniques, qu'on appelle fumerolles; on en trouve par milliers dans le parc de Yellowstone aux États-Unis. Les volcans sont, en outre, des sources d'eau : ils la produisent par la combinaison de l'hydrogène et de l'oxygène dans leurs fourneaux et la rejettent sous forme de vapeur. Une grande partie de cette eau, toutefois, est en fait de l'eau de la surface terrestre s'infiltrant lentement dans les profondeurs, vers les réservoirs de magma brûlant. Les à-côtés volcaniques qui s'écoulent librement, comme les boues, les geysers et les sources thermales, sont presque entièrement fournis par cette seconde source. L'importance, pour l'homme, des volcans et des fumerolles peut être aisément constatée : les gaz produits par ces deux sources au cours d'une période de plusieurs millions d'années auraient suffi à créer la totalité de l'atmosphère terrestre actuelle.

Ces Montagnes de feu confèrent un certain nombre d'avantages à des régions

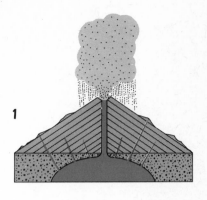

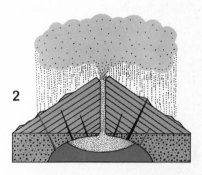

L'EFFONDREMENT D'UN VOLCAN peut donner naissance à une « caldera » ou cavité volcanique, comme l'indiquent ces schémas de la destruction du mont Mazama, dans l'Oregon, il y a 6 500 ans. Le cône se mit à cracher du gaz en myriades de bulles et une matière mousseuse : la pierre ponce (1). Lorsqu'une grande quantité de ces matériaux fut éjectée, il resta une immense cavité souterraine (2) dans laquelle, la pression interne ayant cessé, s'effondra le pic haut de 3 600 mètres.

bien délimitées : les sources thérapeutiques d'eau chaude dans de nombreux pays, le chauffage par la vapeur chaude dans les écoles d'Islande et du Japon, l'eau chaude en abondance dans les blanchisseries de Nouvelle-Zélande, l'énergie électrique en Italie. Mais le bienfait le plus largement répandu est la fertilité que de nombreux volcans apportent au sol qui les entoure. Les éjecta volcaniques peuvent ne pas enrichir directement la terre, comme le ferait un engrais, et l'on conteste la quantité d'éléments nutritifs — potasse et phosphates par exemple — qu'elles contiennent. Mais le secret de leur efficacité vient peut-être de la porosité qu'ils donnent au sol et qui lui permet de retenir l'eau.

Dans des régions aussi favorisées, malgré la menace qui pèse sur elles, une éruption même violente n'interrompt pas longtemps la luxuriante vie végétale. Après l'explosion du Krakatoa et son effondrement, en 1883, il ne restait qu'un cône tronqué en guise de sommet, couvert d'une épaisse cendre chaude et sentant mauvais. Trois ans plus tard seulement, un botaniste hollandais trouva de l'herbe et des fougères qui prenaient déjà racine dans le sol nouveau. En dix ans, l'île redevint verte, ombragée de cocotiers, et, en 1930, elle avait repris l'aspect qui était le sien avant la catastrophe : un impénétrable enchevêtrement de forêt tropicale.

Un jour peut-être, les volcans seront d'abord connus pour les bienfaits qu'ils nous prodiguent, et incidemment seulement pour la menace qu'ils font peser sur nous. Cela viendra peut-être lorsqu'on pourra prévoir les éruptions, science déjà fort développée au siècle actuel. Des prévisions sont sommairement possibles parce que presque tous les volcans annoncent leurs éruptions à l'avance. Parfois, le signal du danger est donné des années avant l'explosion, grâce à des indices que les instruments scientifiques sont capables de détecter. Il peut y avoir, par exemple, un subtil pullulement de tremblements de terre, presque imperceptibles en surface, ou un léger renflement du cône provoqué par le bouillonnement du magma; certains volcans-boucliers, comme le Kilauea, sont des plus accommodants et donnent des avertissements si un flot de lave est prêt à paraître. Souvent des tremblements de terre localisés, plus nets et proches de la surface, précèdent immédiatement les éruptions hawaiiennes. Parmi les autres symptômes de danger volcanique, il faut citer toute élévation de température dans les sources d'eau chaude et dans celle des gaz contenus dans les fumerolles proches du cône. Des vibrations comparables à un tonnerre souterrain sont parfois perceptibles. L'avertissement final est l'éjection sporadique de gaz et de cendres. L'état actuel de la science qui consiste à prédire les éruptions volcaniques est très semblable à celle des prévisions en matière de bourse. Les éléments de base de la prospérité économique sont comparables au gonflement du volcan sous l'afflux du magma accumulé en-dessous. Mais dire exactement quand montera la bourse ou le volcan repose sur des variables encore peu claires. Néanmoins, l'homme peut agir, et il a agi, en fonction des avertissements prodigués par la nature.

Parce qu'ils avaient vu et entendu ces avertissements, les habitants d'une ville japonaise, vivant à l'ombre même d'un volcan, échappèrent à la mort en 1912, et leur comportement doit demeurer un exemple pour les peuples des régions volcaniques. Le Sakurajima, situé sur une île à proximité d'un port actif qui rappelait Saint-Pierre, avait des pentes volcaniques particulièrement fertiles et servait d'abri à des milliers de familles de cultivateurs. Lorsque commencèrent les tremblements et les grondements annonciateurs, les autorités prirent une décision rapide. Elles réunirent dans le port une formidable flottille de sampans et 23 000 personnes au moins furent évacuées. Le lendemain du départ, le Sakurajima faisait éruption, l'une des plus formidables éruptions de l'histoire du Japon. Après avoir fui sa fureur, les hommes revinrent dans l'île et, aujourd'hui, leurs enfants et leurs petits-enfants cultivent les champs de nouveau fertiles qui se superposent à ceux d'autrefois. Bien que déjoué, le Sakurajima n'a pas de rancune.

Nous sommes en 1944. Un nuage de cendre et de vapeur émerge du cône... C'est la 18ᵉ et l'une des plus importantes éruptions du Vésuve qui commence.

Les Montagnes de feu

Les volcans ont toujours joué un double rôle. Rejetant des gaz, de la cendre et des roches fondues, ils ont causé de grandes dévastations tout au long de l'histoire humaine. Krakatoa, Vésuve, Montagne Pelée sont des noms synonymes de violence et de mort. Mais les volcans sont indispensables à la vie. Nous devons à leur activité une grande partie de l'air que nous respirons, l'eau que nous buvons et l'extrême fertilité de certaines terres du globe.

Cette conception romantique des « Derniers Jours de Pompéi » est l'œuvre du peintre russe K. P. Brulow. Elle fut réalisée aux environs de 1830.

La fin tragique de Pompéi

La plus célèbre éruption de l'histoire fut celle qui anéantit la ville romaine de Pompéi, en l'an 79. Le Vésuve, après des siècles de quiétude, se réveilla brusquement pour bombarder pendant trois jours la luxueuse région côtière d'une pluie de scories et de cendres. Certains réussirent à s'enfuir, mais on estime à 16 000 le nombre de ceux qui périrent sous les éjecta qui atteignirent 60 centimètres d'épaisseur. L'éruption fut si brusque qu'un grand nombre de Pompéiens furent ensevelis à l'endroit même où ils se trouvaient et les moules de leur corps ont été retrouvés parfaitement conservés dans la cendre. La catastrophe, fatale à l'une des plus belles villes du monde antique, fut un bienfait pour les générations futures, créant un souvenir unique de la vie romaine et de son héritage artistique grec.

Les détails les plus subtils de l'architecture pompéïenne ont subi l'épreuve des siècles. Les blocs de pierre massifs qui contribuèrent jadis à l'édification des routes romaines portent encore très nettement l'empreinte des roues des anciens chariots. Des œufs, prêts à être cuits, ont été retrouvés, leurs coquilles intactes. Le Vésuve s'est également avéré bienfaisant pour les fermiers italiens modernes. Les cendres répandues par les fréquentes éruptions subséquentes du volcan, au cours d'une période de 1900 ans, ont constitué un sol très fertile, à tel point que certaines des plus belles récoltes de raisins et d'oranges mûrissent sur ses versants.

LES AFFRES DE LA MORT subies par un homme et un chien *(ci-contre)* ont été parfaitement préservées dans des moules de cendres volcaniques. Le plâtre coulé dans ces moules fait apparaître la forme des corps désagrégés depuis très longtemps.

A POMPÉI, le centre de la vie était le Forum *(à droite)* qui abritait le tribunal de la cité. Plus de 600 000 touristes admirent chaque année ces hautes colonnes caractéristiques de l'architecture classique romaine.

Comment la Montagne Pelée anéantit Saint-Pierre

Une éruption aussi brutale que celle qui étouffa Pompéi ensevelit en 1902 le port de Saint-Pierre à la Martinique, l'île occidentale des Antilles. Saint-Pierre reposait au pied du Mont Pelé, volcan qui n'avait manifesté son activité que deux fois en un siècle. Puis, de façon inattendue, il commença à cracher des cendres et de la fumée noire. Les vapeurs de soufre devinrent si épaisses que les gens durent se déplacer un mouchoir sur le visage et les chevaux suffoquaient dans les rues. Bientôt des secousses telluriques ébranlèrent l'île quotidiennement et d'inquiétants grondements retentirent dans les profondeurs. Au fur et à mesure que ces dangers augmentaient, beaucoup de gens songèrent à partir, mais ils furent rassurés par l'initiative du gouverneur de l'île. Convaincu que tout irait bien, celui-ci prit la dramatique décision de faire venir toute sa famille à Saint-Pierre alors qu'elle résidait habituellement à Fort-de-France, la capitale.

Quelques jours plus tard, au matin du 8 mai, une gigantesque fissure s'ouvrait au flanc du Mont Pelé. Il s'en échappait un nuage de vapeur incandescente, des gaz et des cendres qui, en moins d'une minute, engloutissaient Saint-Pierre, la réduisant en ruines. Les sauveteurs arrivèrent immédiatement de Fort-de-France mais le sol était brûlant et il leur fut impossible de s'approcher du rivage avant plusieurs heures. Lorsqu'ils y réussirent enfin, ils ne trouvèrent que trois survivants : la première, une femme dans sa cuisine, mourut dans les quelques minutes qui suivirent; le second, un homme, avait réussi à gagner en courant les faubourgs de Saint-Pierre mais lui aussi mourut peu après.

Trois jours plus tard, on entendit les appels au secours du troisième survivant provenant des profondeurs des débris fumants. La voix venait d'un cachot de la prison. Là, affreusement brûlé, mais vivant encore, se trouvait un jeune Noir du nom de Ludger Sylbaris. Il avait survécu à l'holocauste parce que sa cellule n'était éclairée que par une minuscule fenêtre grillagée qui n'avait pas eu à supporter la pleine force du nuage de la Montagne Pelée. Sylbaris déclara qu'il n'avait entendu aucun bruit, qu'il n'avait vu aucune flamme et que la crucifiante chaleur n'avait duré qu'un moment. Ce terrible moment, cependant, avait suffi pour tuer 30 000 personnes — tous les citoyens de Saint-Pierre à l'exception de Ludger Sylbaris.

UN DÔME DE LAVE est éjecté du cratère de la Montagne Pelée (*ci-contre*) par la pression des gaz intérieurs. C'est un phénomène qui est souvent associé aux éruptions volcaniques.

UN AUTRE NUAGE MEURTRIER s'élève au-dessus de Saint-Pierre anéantie : la Montagne Pelée fait à nouveau éruption. Après l'holocauste initial, la ville resta désertée et c'est pourquoi ce nuage, en 1902, ne fit aucun dégât. La photographie ci-dessous, prise peu après l'éruption, montre Saint-Pierre en ruines et sans vie.

L'Anak Krakatoa, mot à mot « l'enfant du Krakatoa », est un nouveau cône de cendres qui s'est formé sur le théâtre de la grande éruption de 1883.

Le Krakatoa et son enfant

CE BLOC DE PIERRE de plusieurs tonnes est l'un de ceux projetés par l'Anak Krakatoa au cours d'une récente éruption. L'entonnoir montre où il est tombé avant de s'arrêter sur la pente.

A l'inverse de ce vieil acteur qu'est le Vésuve, l'île volcanique du Krakatoa, dans les îles de la Sonde, était relativement inconnue avant 1883. Cette année-là, l'éruption la plus spectaculaire de l'histoire ébranla le Krakatoa, pulvérisant presque 17 milliards de mètres cube de Montagne et les volatilisant dans l'atmosphère. Le bruit de l'explosion fut entendu à 5 000 kilomètres à la ronde, et des vagues de 30 mètres de haut s'abattirent sur les côtes de Java et de Sumatra, tuant 36 000 personnes. En 1930, un cône *(ci-dessus)* s'élevait dans le lagon formé en 1883, présageant une nouvelle érection des forces explosives sous-marines. Les géologues disent que le Krakatoa peut exploser encore.

UN NUAGE MENAÇANT obscurcit le ciel durant une éruption de l'Anak Krakatoa *(ci-contre)*. Des observateurs avancent prudemment vers le bord du cratère sous une dangereuse pluie de débris.

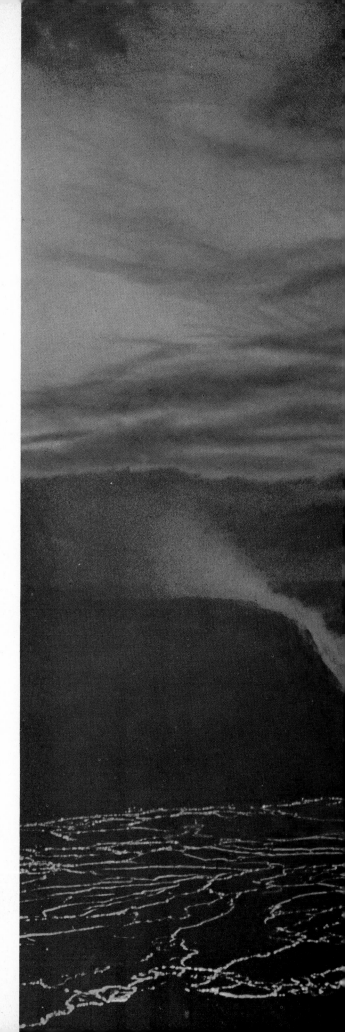

Les dômes-boucliers d'Hawaï

Les 28 îles du Pacifique qui constituent l'état d'Hawaï contiennent les plus beaux spécimens de cônes d'un type unique au monde : le dôme-bouclier. Totalement différent de cônes tels que le Fuji-yama, le volcan hawaiien est large et plat, son sommet généralement coiffé d'une vaste dépression de peu de profondeur. C'est le résultat d'une éruption relativement calme par débordement de lave.

Lorsque le Kilauea Iki *(à droite)* devint actif en 1959, il n'y eut pas d'explosion violente, seulement une succession de jaillissements de gaz et de lave incandescente. Deux mois plus tard, un débordement de lave se produisait des fissures voisines et, coulant rapidement, il recouvrait presque 800 hectares en trois semaines. Ces coulées fluides donnent au dôme sa forme particulière. Se répandant hors de longues cassures terrestres, elles se superposent graduellement pour lui donner cet aspect. Au voisinage des cassures, on peut trouver de petits cônes et des cratères. S'il paraît fort grand, le Kilauea Iki n'est que l'un de ces cratères au flanc du Kilauea, gigantesque dôme en forme de bouclier, qui s'élève à 6 000 mètres du fond du Pacifique.

LA SILHOUETTE DES TOURISTES observant le brillant spectacle du Kilauea Iki se découpe sur le ciel clair. La nature calme de la plupart des éruptions hawaiiennes permet de les observer de près en toute sécurité.

UNE FONTAINE DE FEU jaillit du Kilauea Iki *(à droite)* ; c'est une colonne de gaz qui atteint 300 mètres de hauteur, pleine de fragments de lave ardente. Une nappe profonde de roches fondues brille dans le fond du cratère.

LE BOUQUET FINAL de l'éruption du Kilauea Iki, en 1959, fut ce jaillissement qui éjecta un flot de lave et des débris de roches à près de 400 mètres dans l'atmosphère. L'éruption se produisit une semaine après le début des explosions et dura plusieurs secondes.

Huit heures plus tard, toute activité avait cessé. Cette photographie, prise d'une arête qui encercle le cratère, à moins de 60 mètres de la colonne de matières en fusion, permet de distinguer au premier plan l'herbe et les broussailles brûlées sous l'intense chaleur.

Pahoehoe et Aa

La lave est le produit le plus abondant et le plus courant des volcans. Lorsqu'elle émerge du cône, fondue et chargée de gaz — à ce stade, on la nomme « magma » —, elle détermine le genre d'éruption qui va se produire. Si le magma est épais et imprégné de gaz, il est éjecté par explosion, projeté au loin par les gaz libérés. Lorsqu'il est d'une faible teneur en gaz, il coule uniformément et calmement, sous forme de lave, sur les versants du volcan. La nature de ces coulées varie. La lave peut se solidifier en roche rugueuse, appelée « aa », ou en plis lisses appelés « pahoehoe ». La vitesse de la nappe varie de 30 mètres par jour à 55 kilomètres par heure. La source du magma demeure un mystère, mais il est probable que la majeure partie vient des profondeurs de la terre, à quelque 65 kilomètres de la surface, dans la région du manteau.

Incandescente sous une couche molle et noire de roche en voie de solidification, une coulée rapide de lave pahoehoe éjectée du Kilauea Iki dévale un chemin d'Hawaï.

DES PROJECTIONS DE LAVE s'échappent d'un petit tertre *(ci-contre)*. Dépassant rarement 3 mètres de hauteur, ces cônes se forment généralement le long de fissures volcaniques comme celles que l'on trouve aux flancs des dômes-boucliers hawaiiens.

CETTE MAISON EN FEU à Kapoho-Hawaii est écrasée sous une coulée de lave au cours de l'éruption du Kilauea en 1960. Les habitants de Kapoho furent évacués à temps mais la ville fut la première aux États-Unis à être détruite par un volcan.

D'une température élevée, les laves hawaiiennes, qui sont extrêmement fluides, peuvent parcourir une centaine de kilomètres en une seule journée.

LES PROFONDS SILLONS qui marquent les flancs de ce volcan éteint surplombent une riche vallée de l'île d'Oahu, capitale politique d'Hawaï. Le lent broyage de l'érosion a creusé des arêtes acérées, encadrées de dépressions profondes. La paroi bien usée est encore capable d'abriter une végétation considérable, entre autres des arbres fruitiers, des arbustes et des arbres à feuilles persistantes.

UNE COLONNE DE LAVE forme un piédestal de 85 mètres pour la chapelle de Saint-Michel-d'Aiguilhe *(ci-contre)*, au Puy, dans le Massif Central. Ce piton, qui assurait autrefois la protection du lieu saint, est probablement ce qui reste du cratère plein de lave d'un volcan mort depuis longtemps, usé par l'érosion depuis des millions d'années. Les volcans éteints abondent en Auvergne.

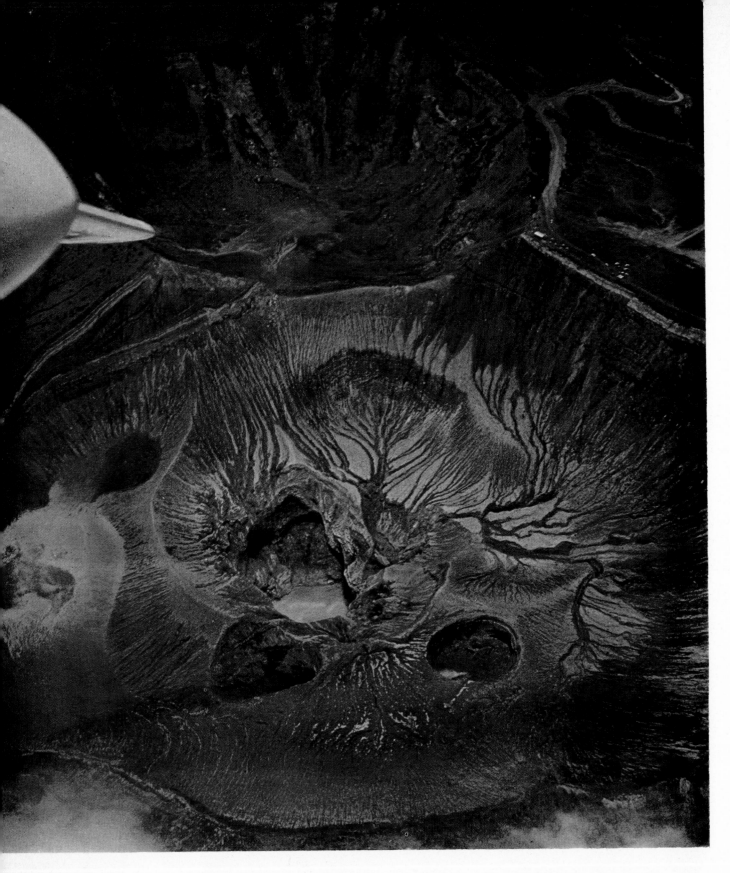

L'INTÉRIEUR D'UN CRATÈRE du volcan Irazú, à Costa Rica, révèle une cavité de plus de 1 600 mètres de large contenant trois plus petits cratères d'explosion formés au cours de différentes phases de l'histoire du volcan. L'Irazú eut une violente éruption en 1723 et il éjecte encore des vapeurs et des cendres. Les automobiles et la maison, visibles à l'extrême droite, donnent une idée de sa taille.

DES BASSINS CIRCULAIRES de boue mêlée à des laves pulvérisées bouillonnent à la surface d'un champ de sources d'eau chaude et de geysers en Nouvelle-Zélande du Nord *(ci-contre)*. Des vapeurs surchauffées s'élèvent des profondeurs, créant une couche de bulles, dont chacune se gonfle et éclate, ajoutant un nouveau cercle à l'ensemble. Chaque tourbillon a environ 2 mètres de diamètre.

4

Plantes, vents et glace

LES chapitres précédents de ce livre ont traité des Montagnes surtout en tant que phénomènes géologiques, et cette qualification était fonction de l'altitude des élévations du terrain à la surface de la terre. Pour le biologiste, la hauteur n'a en soi qu'une importance secondaire. Ce sont les *résultats* de cette altitude qui le fascinent. Les Montagnes créent les plus stupéfiants contrastes dans les conditions de vie que peuvent trouver sur le globe les plantes et les animaux. Ces conditions sont dures, incroyablement dures. Des problèmes de survie se posent pour faire face au vent qui souffle avec une constante férocité, pour faire face au froid, aux températures extrêmes, aux pluies abondantes ou à l'absence de pluie, au sol rocheux et glissant, à la neige et à la glace, au manque d'oxygène et aux radiations nombreuses. En outre, les conditions ne sont pas nécessairement les mêmes sur deux Montagnes de la même chaîne, ou sur deux Montagnes d'une même vallée situées sur des versants opposés; elles varient également avec l'altitude.

Une Montagne peut être comparée à un accordéon, en ce sens qu'elle comprime dans un très petit espace des conditions de vie qui, en plaine, se répartiraient sur des milliers de kilomètres. Installez un homme au hasard dans une prairie du centre des États-Unis et dites-lui de marcher vers le nord. Après un certain temps, il constatera que le paysage commence à changer. De petits bouquets d'arbres à larges feuilles apparaîtront. Au fur et à mesure qu'il avancera, ces boqueteaux deviendront des futaies et formeront bientôt une forêt sans limite. Toujours plus au nord, il se trouvera brusquement dans une forêt d'une autre espèce, faite de plantations de conifères épais, de pins, de sapins, d'épicéas; c'est celle qui recouvre le Nord des États-Unis et le Sud du Canada. Continuant par le Saskatchewan vers les Territoires du Nord-Ouest, il constatera finalement que les arbres sont plus clairsemés. Ils deviendront plus étriqués et plus rares, jusqu'à disparaître complètement, et une fois encore notre homme se trouvera en terrain découvert. Mais là, il n'y aura plus de prairie. Au lieu de cela, ce sera la toundra, espace arctique sans arbre, couvert de mousse et de lichens, de joncs et de plantes naines en fleurs. Ce résistant tapis disparaîtra enfin et, au terme de son voyage, l'homme se trouvera dans les glaces et les neiges éternelles de la région polaire.

Un tel voyage durerait de nombreux jours et s'étendrait sur une distance d'environ 6 400 kilomètres. Il existe, toutefois, un moyen beaucoup plus facile d'expérimenter les mêmes changements de végétation : placer tout simplement le voyageur au pied d'une Montagne comme le Pikes Peak et la lui faire gravir. Durant son ascension, il pourra remarquer que la végétation s'étage de la même façon qu'au cours de sa longue course vers le Pôle Nord.

Dans les deux cas, le facteur commun est, bien entendu, le froid. Le froid est plus vif lorsqu'on se dirige vers le nord, exactement comme lorsqu'on gravit une Montagne, mais les causes en sont différentes. La basse température des pôles provient de l'inclinaison de l'axe de la terre par rapport au soleil, tandis que les basses températures de Montagne proviennent de la sècheresse de l'air, incapable de conserver la moindre chaleur.

Bien qu'en règle générale, la température diminue de 0,5 degré par 100 mètres d'altitude, le froid en Montagne et le climat au sommet ne suivent pas uniformément cette loi. L'un et l'autre dépendent de l'emplacement de la Montagne. Les Montagnes tropicales ne connaissent pas les cyclones et les fantastiques changements de temps qui en résultent dans les régions tempérées ou polaires; en conséquence, elles ont un climat qui leur est propre. A leur base, il fait très chaud et, bien que la température fraîchisse avec l'altitude selon la règle énoncée ci-dessus, il faut monter très haut pour trouver la neige. Quito, capitale de l'Équateur, juchée à 2 850 mètres d'altitude dans les Andes, se trouve presque à l'équateur et connaît tout au long de l'année une température moyenne voisine de 13 degrés, et un écart de 0,8 degré entre ses mois les plus froids et ses mois les plus chauds. Dans les Sierras d'Amérique, à la même altitude, cet écart peut atteindre 16 degrés.

Toutefois, bien qu'elles diffèrent individuellement, les Montagnes ont beaucoup d'éléments communs. Toutes jouissent de climats qui ont peu de ressemblances avec ceux des plaines environnantes. Sur toutes, la végétation d'arbres et de

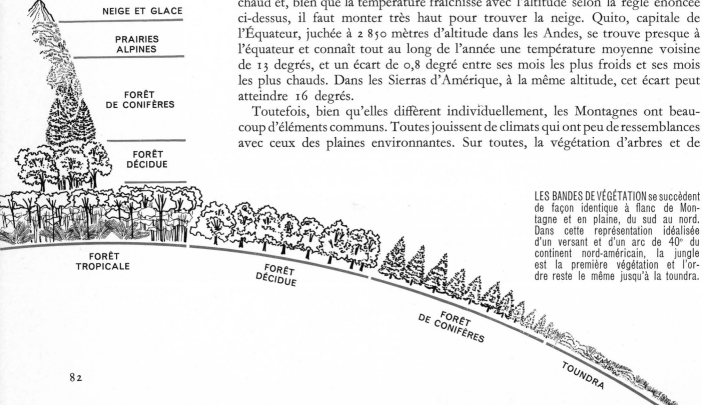

NEIGE ET GLACE

PRAIRIES ALPINES

FORÊT DE CONIFÈRES

FORÊT DÉCIDUE

FORÊT TROPICALE

FORÊT DÉCIDUE

FORÊT DE CONIFÈRES

TOUNDRA

LES BANDES DE VÉGÉTATION se succèdent de façon identique à flanc de Montagne et en plaine, du sud au nord. Dans cette représentation idéalisée d'un versant et d'un arc de 40° du continent nord-américain, la jungle est la première végétation et l'ordre reste le même jusqu'à la toundra.

buissons est étagée en bandes horizontales d'espèces totalement différentes se succédant avec une étonnante régularité. Évidemment, plus hautes sont les bandes, plus rude est la vie. Pour comprendre comment fonctionne ce système, faisons l'ascension, de sa base au sommet, d'un pic classique des Rocheuses du Colorado, en nous arrêtant pour observer certaines populations végétales caractéristiques sur notre route.

La première chose que notera l'observateur qui entreprend l'ascension de la pente de l'une des Rocheuses, c'est que les arbres à feuilles caduques ont tendance à ne pas dépasser la vallée et que le versant de la Montagne est presque exclusivement le domaine du sapin ou du pin. Mais chaque zone possède ses conifères respectifs. Sur les pentes les plus basses des Rocheuses du Colorado, les genévriers et les pins ponderosa abondent, mais le pin ponderosa est le plus robuste des deux et un peu plus haut le genévrier disparaît et le pin domine.

La zone suivante atteint 2 800 mètres environ, dans les Rocheuses du Colorado, et elle est peuplée d'épaisses plantations de sapins Douglas. Au-dessus, c'est la forêt des sapins subalpins et des épicéas. Le sombre épicéa, aux aiguilles piquantes et aux cônes pendants s'allie toujours au sapin, plus clair, aux aiguilles douces et aux cônes dressés. Ces deux espèces s'aident mutuellement. L'épicéa pousse lentement mais vit longtemps ; il assure un solide élément de base à la forêt. Le sapin, bien qu'ayant une vie plus courte, grandit rapidement et disperse abondamment ses graines. L'un et l'autre constituent rapidement un boqueteau, ce qui est très important en Montagne car la force du vent est considérablement réduite par la présence d'un boqueteau ; des arbres groupés risquent moins d'être renversés que des spécimens solitaires et isolés.

Ce qui peut troubler l'observateur pendant son ascension, ce sont les diagrammes courants, sur lesquels, pour simplifier, les Montagnes se trouvent divisées nettement par des lignes horizontales en des zones de végétation bien distinctes. Les zones existent certes, mais sur un terrain irrégulier, les différences d'exposition au soleil et au vent, la nature du sol et la pluviosité en troublent les limites. Là où les conditions le permettent, la végétation d'une zone envahit la zone suivante, vers le haut ou vers le bas.

Après être monté pendant plusieurs heures à travers les bois de sapins et d'épicéas, le promeneur commencera à remarquer que les arbres deviennent plus petits et plus espacés. Progressivement, ils se réduiront à une végétation au ras du sol, rabougrie et tordue par le vent que l'on nomme *Krummholz,* ce qui en allemand signifie : bois tors. C'est la zone où les arbres marquent un dernier point contre les éléments de la Montagne ; c'est la fin de la zone forestière et le commencement de la toundra alpine.

Toundra est un mot russe, d'origine lapone et, dans les pays scandinaves, il désigne les régions arctiques où grandissent les derniers arbres. Lorsqu'il s'agit d'un milieu de hautes Montagnes, on y ajoute le mot alpine ; on parle de prairies alpines, de lande alpine, de marais alpins. Mais la toundra reste la toundra dans le monde entier. Des savants affirment qu'en mettant leurs mains devant leurs yeux et en ne considérant qu'une étroite portion de toundra, il leur serait difficile de dire s'ils se trouvent dans les Rocheuses, au Labrador ou en Laponie. La toundra est très souvent, même en haute Montagne, une terre agréablement vallonnée où la roche apparaît souvent, coupée de pics et de parois abruptes. Pendant la majeure partie de l'année, ces hauteurs sont dénudées. Çà et là, des poches de neige s'étalent entre une bande de roche nue balayée par le vent et des taches brunes de végétation morte ou endormie. Les vents y soufflent en permanence, atteignant parfois 160 kilomètres à l'heure, et des rafales de neige aveuglantes peuvent y tourbillonner à tout moment. L'hiver dure huit mois, le printemps quelques semaines, l'été commence en juin et s'achève à la mi-août. Il est difficile de croire que cette courte saison apporte un flamboiement de couleurs florales, les galopades et les battements d'ailes de la vie animale.

Les savants américains qualifient souvent certaines plantes de la toundra, « de plantes à plat ventre » parce que chacune est si petite qu'il faut se mettre à plat ventre pour bien la regarder. Les noms familiers et scientifiques de certaines d'entre elles évoquent la nature de celles qui peuvent survivre à ces hauteurs. Parmi ces noms, on peut citer : *prostrata* (couchée sur le sol), *procumbens* (penchée), *caespitosa* (en touffe), *megarrhiza* (à bulbe ou à racine renflée), *acaulis* (sans tige) et *humilis* (l'humble, qui s'élève à peine au-dessus du sol).

L ES fleurs alpines sont petites et humbles et elles poussent très lentement. Après avoir observé continuellement, pendant dix ans, des plantes de hautes montagnes, dans une station expérimentale des Rocheuses, les écologistes alpins de l'Université du Colorado ont constaté qu'une plante à coussinet classique dépliait ses feuilles deux minutes seulement par an et achevait sa croissance totale, environ 9 millimètres, en dix années.

Une croissance aussi lente est imposée aux plantes de la Montagne par le court été. Elles doivent également tenir compte d'un formidable quatuor : froid, vent, instabilité du sol, pluviosité insuffisante ou excessive. Associés, ces hasards meutriers multiplient leur efficacité. Une basse température conjuguée au vent devient un facteur « vent glacial » beaucoup plus grave que le froid ou le vent isolément. Comme le sait quiconque connaît les hivers du Nord, une température de 0 degré associée à un vent de 80 kilomètres à l'heure peut enlever au corps humain plus de calories qu'une température de — 20 degrés sans vent. Les variations de température sont assez néfastes en soi. Après de longs mois de gel, la température du sol peut par un jour d'été atteindre 46 degrés à proximité des roches ensoleillées d'un versant de Montagne pour retomber de nouveau à — 20 degrés la nuit. Exposée à ces extrêmes, une plante de plaine expirerait en quelques heures. Mais la végétation de montagne est pourvue d'une multitude d'adaptations, dont la principale est l'attente. Ces plantes dorment simplement pendant les temps froids et se développent autant qu'elles le peuvent durant l'été. Mais, comme les étés sont courts et la croissance aussi lente que nous l'avons décrite, il est impossible à une plante d'arriver à maturité et de produire des graines en une seule saison. C'est pourquoi presque toutes les plantes de montagne sont vivaces; elles vivent d'une année sur l'autre exactement comme le font les arbres, emmagasinant progressivement l'énergie nécessaire à leur floraison. Une plante annuelle, c'est-à-dire qui ne dure qu'une année et qui dépend d'une production nouvelle de graines chaque année pour se perpétuer, comme tant de fleurs qui poussent dans les jardins de nos plaines, trouverait la vie presque impossible sur un sommet. En fait, sur plus de 300 espèces de plantes florales se développant au-dessus de la zone des forêts dans les Rocheuses, deux seulement sont annuelles. L'une d'elles a des fleurs de la taille d'une tête d'épingle.

Les plantes vivaces elles-mêmes ont une vie très difficile. Parmi les plus nombreuses et parmi celles qui poussent le mieux, citons la silène acaule qui se présente en petit coussinet plat. Une seule graine emmagasine assez d'énergie pour être capable, si elle tombe en un lieu favorable, de développer des racines

LA MIGRATION DE LA VÉGÉTATION est un phénomène classique sur les pentes élevées, battues par les vents ; elle est illustrée ci-dessous par les images d'un pin flexible des Montagnes Rocheuses. Un jeune arbre prend racine à l'abri d'une roche et ses branches commencent à se développer (2). Courbées par le vent, elles prennent également racine. Chaque hiver, la partie supérieure de la plante, sans la protection de la neige (3) est tuée par le froid et les vents desséchants. Finalement, les parties les plus anciennes de l'arbre commencent à mourir (4) mais le protègent encore, remplaçant ainsi la roche et permettant à l'arbre de poursuivre sa migration (5).

1

2

3

et une tige. Mais les versants des Montagnes sont secs, le fait est notoire, tout au long de l'année, et la majeure partie de l'énergie de la plante est absorbée par les racines; en effet, plus important sera cet appareil, plus la plante aura de chance de trouver l'eau. De grandes racines aident aussi à stabiliser une plante sur une pente où les rocailles glissent sans cesse, et où le vent risque d'être assez violent, au sens propre du mot, pour arracher la végétation qui n'est pas solidement ancrée dans le sol. Une silène acaule qui a 5 centimètres de hauteur en surface peut avoir des racines qui s'enfoncent sur 60 centimètres et plus.

Il faut parfois dix ans pour que la silène acaule soit suffisamment bien installée pour produire sa première fleur. Lorsqu'elle parvient à sa pleine floraison au bout de vingt années, le nombre de fleurs qu'elle peut produire est surprenant. En saison, elle peut être couverte de plusieurs centaines de minuscules bouquets roses, nichés dans un coussinet de 30 centimètres de large seulement.

La forme en coussinet constitue en soi une adaptation, parade et riposte au vent et au froid. De même, les arbres de la forêt résistent mieux aux vents glacials lorsqu'ils poussent en boqueteaux. Le coussinet, forêt miniature, bombe le sol comme un dôme discret sous les vents froids qui sifflent au-dessus. L'importance d'être au ras du sol ne doit pas être sous-estimée. Un homme, debout sur le versant d'une Montagne exposée, peut être renversé par le vent. S'il s'asseoit, il remarque qu'il résiste beaucoup mieux. S'il se couche, face contre terre, il est surpris de constater que le vent qui soufflait sur son visage a pratiquement disparu. Cela, parce que la terre, stable, exerce une force de friction qui résiste à l'air en mouvement, l'enrayant et le stoppant. L'effet est plus grand à proximité du sol. Les irrégularités de la surface — des affleurements de roches ou de petites cavités — assurent aussi dans une large proportion une protection efficace. Pour une plante de 15 millimètres, un caillou de 2,5 centimètres peut faire aussi bien l'affaire qu'un mur pour protéger une maison du vent.

Bien que l'air de la Montagne soit sec et ne puisse conserver de chaleur la nuit, le soleil darde ses rayons implacables pendant le jour et rien ne peut éviter à la plante d'être imprégnée de cette chaleur. Le problème est de la conserver. Là encore, le coussinet joue son rôle. Son entrelacis de feuillage est pour la chaleur un véritable piège; le coussinet absorbe et retient la lumière solaire beaucoup plus efficacement que ne le ferait une plante à tige unique. Les températures prises sur une silène acaule peuvent varier de 10 degrés entre l'intérieur du coussinet et l'extérieur. Les insectes, que le froid engourdit, trouvent dans les profondeurs de la silène et des espèces similaires, une chaleur paradisiaque.

En rampant à l'intérieur, ils permettent l'accomplissement d'une fonction vitale pour la plante : la pollinisation indirecte. Il est donc possible de supposer que les adaptations de la silène acaule contre le froid sont également d'avantageuses adaptations dans sa lutte pour la perpétuation de l'espèce, car les insectes ne sont pas nombreux en haute altitude et ils sont souvent emportés par le vent. En raison de cette précarité, la fécondation de nombreuses plantes de montagnes dépend du vent. D'autres encore, comme la *Festuca ovina* (Fétuque des moutons), sont capables de se féconder elles-mêmes.

Si les Montagnes sont si ventées, cela tient, entre autres raisons, au fait que la

L'ŒILLET DE L'AMÉRIQUE DU NORD, en forme de coussinet (ci-dessus), est un habitant des versants, parent de l'œillet d'Inde ci-dessous. Adapté au rude climat des Montagnes, il ressemble plus à la plante à coussinet sud-américaine (ci-contre), sans aucun lien de parenté avec lui, qu'à son propre ancêtre. Cela prouve à quel point des plantes dissemblables peuvent parvenir à se ressembler dans un climat de montagne.

vitesse du vent s'accroît avec l'altitude. En outre, lorsque la vélocité du vent double, sa puissance quadruple. Enfin, les vents prennent de la force lorsqu'ils traversent d'étroits passages. Tel un cours d'eau se heurtant à un rétrécissement de son lit, un vent rencontrant deux sommets voisins peut souffler avec une violence maximale dans la gorge qui lui reste pour passer. Toutes les Montagnes ne sont pas également ventées. Les directions des vents sont classiques dans le monde entier, les plus fréquentes étant les ceintures ouest-est qui s'élancent en courant continuel autour du globe, sous les latitudes tempérées des hémisphères nord et sud. Les Montagnes tropicales ont tendance à être moins ventées que les Montagnes tempérées. La force maximale du vent fut enregistrée au sommet du Mont Washington, dans le New Hampshire, où l'on évalua des rafales de 372 kilomètres/heure et où sa vitesse moyenne en 24 heures atteignit 207 kilomètres/heure.

Devant le déchaînement de telles forces sur les sommets, les plantes ont besoin d'être souples tout autant que courtes; elles plient sous les rafales au lieu d'y résister et les plantes ligneuses sont extrêmement rares en haute altitude. Celles qui réussissent à y vivre ont des branches si souples qu'elles peuvent être tordues en tous sens. Les spécimens de Montagne du pin *(pinus flexilis)* qui possède indéniablement la forme de ce même arbre à plus basse altitude poussent à plat sur le sol. Le saule des neiges, dans les Rocheuses, se serre contre terre, lui aussi, ne s'élevant qu'à 2 ou 3 centimètres de hauteur et il réussit cependant à produire des chatons à profusion. Bien qu'il ait totalement perdu sa forme d'arbre, il est génétiquement apparenté aux saules des plaines. Après avoir fait l'ascension d'un sommet couvert de ces plantes, les botanistes aiment à plaisanter et disent à leurs amis : « Ce matin, j'ai piétiné une forêt de saules ! »

LES gens des basses terres tendent à associer le froid et la neige. En fait, en haute Montagne, la neige est l'un des grands protecteurs de la végétation, l'un des grands isolants, et elle est bénéfique à de nombreuses plantes. Sur une couche de neige, les températures de surface peuvent descendre à — 20 degrés et plus bas encore mais, sous la couche de neige, la température descend rarement à plus de quelques degrés au-dessous de zéro. En outre, elle demeure uniforme et n'est pas soumise aux folles variations constatées en surface. Dans leur zone de recherche alpine de haute altitude, dans les Montagnes Rocheuses, des membres de l'Institut Arctique et Alpin de l'Université du Colorado ont effectué quelques sondages-tests. En juin, dans 3,60 mètres de neige, à la base de la couche de neige, ils ont trouvé une minuscule renoncule des neiges en train d'épanouir ses délicats boutons jaunes. Comment des plantes apparemment si fragiles peuvent-elles vivre dans un pareil milieu ? C'est là une des merveilles de l'écologie de Montagne.

Tout d'abord, la renoncule, comme les autres fleurs de Montagne, est une plante qui croît lentement. Bien que la lumière du soleil lui soit finalement indispensable pour produire les amidons dont dépend sa croissance, elle ne lui est pas immédiatement nécessaire. En conséquence, si la couche de neige sous laquelle elle commence à vivre ne fond pas en une année donnée, elle a la mince mais nécessaire ressource d'attendre l'année suivante.

Le problème du froid n'atteint pas cette plante. Comme il est dit plus haut, la neige est une protection, non un danger. Les cellules de la renoncule sont très petites et leurs réserves si riches en éléments nutritifs dissous qu'elles résistent à la gelée, exactement comme l'antigel d'une automobile. En outre, ses processus métaboliques produisent en réalité une très petite quantité de chaleur. Celle-ci est apparemment suffisante pour permettre la croissance initiale de la plante lorsque son appareil sensitif lui annonce la venue du printemps, bien que les études menées jusqu'ici n'aient pas permis de déterminer comment elle le fait, dans l'obscurité, au fond de la neige.

Lorsque la neige commence à fondre, elle fournit une source d'eau immédiate qui est absorbée par le système radiculaire compliqué de la plante. Au fur et à mesure que s'amincit la couche de neige, la plante commence effectivement à bénéficier d'une fraction d'énergie solaire, car la lumière pénètre jusqu'au fond de la couche neigeuse. Finalement, la renoncule est à découvert, au grand air, et, durant les quelques semaines d'été, son système de petites feuilles doit produire suffisamment d'amidons par photosynthèse pour prolonger sa vie pendant l'hiver suivant — ou plusieurs hivers.

LA PLANTE SUD-AMÉRICAINE ci-dessus, comme l'œillet de la page 86, se développe en amas serré pour survivre au froid et au vent des cimes. Sa forme ancestrale fut probablement celle du grand panais dont la racine est donnée aux bovins (ci-dessous). Ce mimétisme des plantes, sans relation initiale entre elles, s'appelle «l'évolution convergente».

DES plantes comme la renoncule des neiges ont une très petite marge de sécurité. L'énergie requise pour produire feuilles et fleurs représente une grande proportion de l'énergie accumulée au total. Cependant, les unes et les autres doivent se développer si la plante veut grandir et se reproduire. En conséquence, nombre de plantes de la Montagne doivent attendre trois ou quatre ans, ajoutant un peu chaque année à leur trésor énergétique jusqu'à ce qu'un surplus suffisant leur permette d'essayer de fleurir. Le lis des glaciers, après avoir attendu sa floraison sept années, peut être tué dans sa lutte pour le remplacement de ses feuilles si un animal les lui mange au début du printemps. L'imprudente cueillette que les alpinistes font de ces fleurs condamne presque invariablement ces plantes à mort.

Un grand nombre de fleurs trouvées dans les prairies alpines ont d'éclatantes couleurs, tel le jaune profond de la renoncule des neiges ou le bleu intense de la gentiane. Comme les couleurs sombres absorbent mieux la lumière et la chaleur, cela paraît être une autre adaptation utile des plantes de montagne. Ce qui est surprenant, c'est qu'il y en ait tant de blanches et de couleur pâle. Mais, chose importante, les feuilles de presque toutes les plantes alpines sont vert sombre et elles absorbent la chaleur en grande quantité.

Les feuilles possèdent d'autres adaptations extrêmement ingénieuses. Beaucoup sont épaisses et cirées pour résister à l'évaporation. D'autres, comme les célèbres edelweiss suisses, sont recouvertes d'un duvet épais et poilu, qui, non seulement conserve la chaleur mais résiste aussi à l'effet refroidissant du vent. Le plus intéressant est le duvet qui pousse sur les bourgeons du saule des neiges (identique à celui du saule). Ce duvet est blanc et, à première vue, on pourrait croire qu'il est un pauvre collecteur de chaleur. Toutefois, si on l'examine plus à fond, le cœur auquel sont rattachés les poils apparaît noir. La lumière et la chaleur pénétrant la surface translucide sont absorbées par le bourgeon noir et y sont emmagasinées. Toute la chaleur accumulée se réfléchit alors à l'intérieur.

Malgré ces adaptations, si ingénieuses soient-elles, les plantes qui les exploitent dépendent encore de la neige, de la pluie et d'un minimum de fertilité et de stabilité du sol, éléments qui ne sont pas nécessairement garantis en Montagne. Il tombe très peu d'eau sur les flancs abrités de certaines chaînes montagneuses, comme les Sierras américaines. Les vents soufflent continuellement sur les versants ouest, y déposant la plus grande partie de leur humidité, et provoquant sur les versants abrités des conditions d'aridité identiques à celles de certains déserts. Le volcan Waialeale, à Hawaï, est un exemple extrême d'une telle disparité. Le versant exposé reçoit environ 1 180 centimètres d'eau par an, pluviosité prodigieuse qui lessive le sol de ses éléments nutritifs et fait pousser l'herbe si rapidement qu'elle absorbe fort peu des éléments qui peuvent rester. Une vache qui ne mangerait que cette herbe mouillée mourrait de faim. En revanche, le versant non exposé reçoit 50 centimètres d'eau par an et sa végétation clairsemée et désertique est fort pauvre.

A plus haute altitude évidemment, les précipitations abondantes se produisent sous forme de neige. Sur des pentes abruptes, les grandes concentrations de neige sont instables et elles sont la source d'avalanches qui peuvent détruire en quelques secondes d'importantes étendues de végétation dont l'implantation sur les flancs de la Montagne a pu demander des décennies. De grands arbres se trouvent emportés comme des allumettes et, avec eux, toutes les formes de buissons, entraînant même parfois la couche de terre de surface dans laquelle ils poussent. Devant ces grandes catastrophes, certaines plantes se sont adaptées à supporter la force de la neige qui déferle. Le saule d'avalanche se développe sous une forme nattée et dense, présentant une surface tellement lisse et glissante que la neige peut glisser dessus plusieurs fois au cours d'une même année sans déloger la plante.

Mais le sol des Montagnes est une implantation instable pour les plantes par des aspects moins évidents et plus insidieux. La seule force de la gravité tend à attirer vers le bas toute chose qui se trouve libre de toute entrave. Or, la chaleur du soleil, suivie de la prise en glace de l'eau dans les fissures, provoque constamment des cassures de la roche. Les morceaux tombent, provoquant des glissements de terrain qui déracinent la végétation ou qui l'enterrent sous des débris. Puisque les plantes sont les grands stabilisateurs de la surface terrestre, une surface nettoyée de sa couverture végétale devient sujette à d'autres dégradations. Les plantes tendent à maintenir le sol en place; elles protègent les particules de terre plus fines et les empêchent d'être emportées par le vent; elles tempèrent la force de l'eau dans sa chute en l'absorbant et en la conservant, plutôt que de la laisser s'échapper sur la pente en torrent dévastateur.

Et, si elles retiennent le sol, les plantes le créent aussi. Leurs racines soulèvent constamment la roche, accomplissant leur menu mais incessant travail de broyage, réduisant en fragments de plus en plus petits les couches primitives dont la Montagne était faite. Les lichens grandissent souvent avec une lenteur incroyable parce que, entre autres raisons, ils s'établissent dans des endroits où il n'y a presque pas d'eau et qu'ils doivent se satisfaire des précipitations infinitésimales de la rosée. En conséquence, une petite touffe de lichens de quelques centimètres de large et de 6 millimètres de haut peut avoir quelques centaines d'années. Cependant ces petites plantes obscures sont parmi les plus importantes jamais évoluées. Sur une semblable petite plaque fertile, une mousse peut prendre pied, et, de là, par lents degrés, une forêt entière.

LE RAT-TAUPE, creusant ses galeries, ne tue pas seulement l'herbe de la prairie alpine en lacérant et en rongeant les racines mais aussi en rejetant la terre à la surface du sol où elle est emportée par le vent. L'herbe ne peut survivre dans le gravier qui demeure, celui-ci est alors colonisé par les achillées, les campanules et autres plantes (au centre) dont les racines, plus profondes, peuvent dépasser la couche superficielle. Elles sont rejointes par des plantes à coussinet aux racines pivotantes. Ces coussinets commencent à accumuler la poussière et les débris de végétaux et ils construisent ainsi lentement une nouvelle strate du sol (en bas, à l'extrême droite) où l'herbe peut à nouveau prendre racine. Ces racines épaisses et creuses commencent à boire toute l'eau de surface et les autres plantes meurent, achevant un cycle qui peut durer cent ans.

Les liens de parenté des plantes et du sol sont éternellement surprenants. La majorité des jardiniers savent que retourner la terre, et, en conséquence, l'aérer, est fort important mais ils laissent aux vers de terre le soin d'accomplir ce travail pour eux. En haute Montagne, il fait trop froid pour les vers de terre, et leur fonction d'aérateurs du sol est accomplie par de petits animaux fouisseurs. Ce sont les jardiniers de la toundra, et les conséquences en sont souvent tout à fait inattendues. Apparemment poussée par un vent de folie dû à la surpopulation, une espèce de souris, nommée le campagnol des prairies, déchire périodiquement à belles dents les plantes à coussinets et le trèfle nain. Cette litière procure un bon terrain pour le développement de plantes telles que la

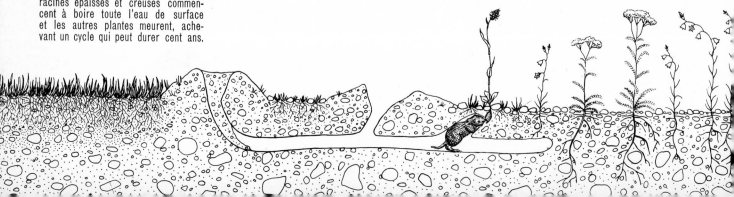

dryade et le trèfle des montagnes qui, sans cela, ne s'implanteraient pas aussi facilement.

Un carex commun de la toundra, le *Kobresia,* est même plus sérieusement affecté par les excavations du rat-taupe. Comme l'explique William Osburn, de l'Université du Colorado, le *Kobresia* a besoin d'un sol couvert d'un humus fin et profond. Dans un tel milieu, il prospère, de concert avec certaines plantes à coussinet. Malheureusement, les rats-taupes sont très friands des racines de ces plantes et, au cours de ses exploits, un seul de ces petits rongeurs peut rejeter annuellement à la surface du sol plusieurs tonnes de terre qui étouffent les plantes isolées. Des vents violents emportent finalement la totalité de cet humus et le *Kobresia* meurt, car il ne peut plus prospérer dans le gravier qui demeure.

Un autre type de végétation colonise l'endroit : l'aconit aux grappes bleu lavande, l'achillée à fleurs blanches et la campanule bleue qui, toutes, grandissent assez pour supporter l'accumulation de débris. Mais ces plantes ne sont pas du goût du rat-taupe qui s'en va. Lentement, les plantes à coussinet reviennent, grâce à leurs longues racines pivotantes capables de s'enfoncer profondément dans le gravier pour trouver l'eau. Dans leurs épais coussins, elles collectent la poussière et leur dépérissement ajoute à l'accumulation de l'humus. Une fois de plus, le *Kobresia* peut s'y implanter. Mais, en revenant, il tue tous les aconits, les achillées et les campanules et la plupart des plantes en coussin, car ses racines superficielles, qui s'étendent fort loin, captent toute l'eau environnante. Ainsi s'achève le cycle.

NE parlons plus des rudes conditions auxquelles les plantes de montagne doivent faire face. Une question reste posée : comment ces plantes sont-elles venues là pour la première fois ? Cela nous entraîne au royaume complexe de l'évolution des espèces et introduit un concept fondamental de génétique : puisque presque toutes les choses vivantes ont des compositions génétiques légèrement différentes, elles produiront des fruits légèrement différents. Les espèces qui sont les mieux adaptées à vivre sur les surfaces où elles prennent racine prospèreront et produiront des plantes de leur espèce. Mais il se trouve toujours la fleur bizarre, produit d'une mutation, qui est un peu différente, une peut-être sur un million ou un milliard de fleurs normales. Aussi longtemps que les conditions resteront les mêmes, cette fleur bizarre restera handicapée dans sa lutte pour la vie à côté des autres de son espèce et elle mourra aussi vite qu'elle est née. Mais, si les conditions changent, même légèrement, la « bizarrerie » de la fleur bizarre peut tourner à son avantage. Bientôt son type prédominera.

Les mutations sont des altérations dans la structure génétique d'un organisme. Bien que presque toutes apparaissent spontanées à l'origine, on sait maintenant qu'elles sont provoquées de plusieurs façons : par des froids ou des chaleurs extrêmes, par des déficiences chimiques ou par manque d'oxygène. Elles se trouvent également provoquées lorsque les gènes d'un organisme sont atteints par des radiations et légèrement altérés. Comme tous les facteurs énumérés

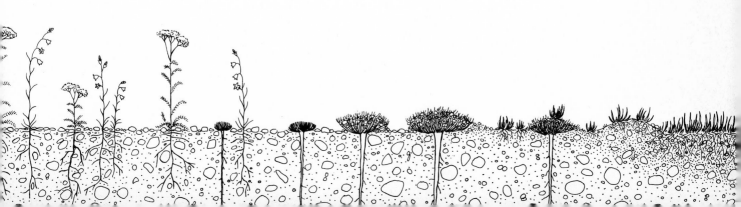

ci-dessus prévalent avec une vigueur accrue aux sommets des Montagnes plus qu'au niveau de la mer, plus on gagne d'altitude, plus grand est le potentiel des changements génétiques.

Prenant toutes ces forces en considération, il n'est pas difficile de concevoir une situation où la plante, vivant au pied de la Montagne, développera progressivement des spécialisations légèrement plus résistantes au froid : une tige plus courte ou des feuilles plus duveteuses. Ces spécialisations auront tendance à vivre aux plus hautes limites de l'habitat des fleurs normales et elles pourront à leur tour produire des types plus duveteux qui pourront vivre plus haut encore. La comparaison d'un tournesol de la toundra avec les types de la même famille vivant plus bas prouve qu'il se produit un processus identique à celui-là. Les deux espèces ont suffisamment de caractéristiques structurales communes pour montrer clairement aux botanistes qu'elles sont étroitement apparentées et probablement issues d'un ancêtre commun, bien que, pour un observateur inexpérimenté, elles puissent sembler différentes l'une de l'autre comme les choux des carottes.

Tout cela est très beau en théorie, mais il existe une difficulté. On trouve aux sommets des Montagnes des espèces végétales qui ne sont pas, et — dans la mesure où les botanistes peuvent l'affirmer — n'ont jamais été étroitement apparentées à leurs voisines des plaines. Au lieu de cela, elles sont liées aux espèces arctiques. En fait, les Rocheuses ont effectivement 65 espèces de plantes à fleurs en commun avec l'Arctique nord. Comment sont-elles venues là ?

L'agent responsable de ce paradoxe semble avoir été un changement de climat. L'Amérique du Nord a connu trois âges glaciaires au cours de ce dernier million d'années, le plus récent s'étant produit il y a 12 000 ans ; l'avance, puis le retrait des couches de glace, ont très bien pu stimuler toutes les formes de croissance des plantes alentour, à un rythme plus accéléré qu'on ne le suppose. Imaginons ce qui a pu se passer, il y a un certain nombre de millénaires, lorsque la glace commença à ramper depuis le nord. Son avance affecta le climat sur des centaines de kilomètres vers le sud et cela avec une sévérité croissante au fur et à mesure que la couche de glace s'épaississait. Certaines espèces se sont trouvées éliminées par la baisse de température. D'autres ont été simplement écrasées par la glace. L'une après l'autre, les limites existantes de la forêt ont été déplacées. Les plantes qui ont pu se réensemencer rapidement ont réussi à s'établir loin vers le sud, dans de nouvelles zones de végétation comparables à celles qui existaient antérieurement dans le Nord.

Pendant ce temps, la glace descendait la Montagne, chassant les plantes de la toundra de plus en plus loin sur les pentes jusqu'à ce que, dans certains cas, elles poussent dans la plaine. Elles sont demeurées là jusqu'à ce que la couche de glace commence son retrait. A ce moment, la toundra s'est déplacée à nouveau vers le nord. Lorsqu'elle a rencontré une chaîne de Montagnes, certaines de ces plantes ont trouvé sur les versants un milieu captivant, identique à celui qu'elles auraient trouvé plus au nord, dans la plaine. Finalement, le climat s'échauffant régulièrement, les espèces spécialisées de la toundra se sont trouvées où elles sont aujourd'hui près des sommets des montagnes tempérées.

A cet égard, les sommets des Montagnes sont des îlots de végétation mouvante et de climat changeant. Que ces Montagnes soient là aujourd'hui, qu'elles l'aient été pendant une période estimée à dix mille ans, cela ne signifie rien dans la longue vague du climat terrestre. Si la température moyenne de ce continent s'élevait seulement de quelques degrés, la limite des forêts sur toutes nos Montagnes ramperait inexorablement plus haut, jusqu'à atteindre les plus hautes cimes. La toundra disparaîtrait et, avec elle, ses plantes remarquables et particulières.

Ces plantes à coussinet du désert alpin péruvien ont l'aspect d'éboulis, ce qui leur permet le conserver le maximum de chaleur et de résister au vent.

Plantes de montagne

Les liens unissant les plantes à leur milieu ne sont nulle part plus complexes qu'en Montagne. A de courtes distances, la température, la pluviosité, le vent et la nature du terrain varient considérablement sur les versants. Devant ces rigueurs, chaque plante se développe là où cela lui convient le mieux et où son adaptation est la plus aisée. Ainsi se trouvent formées des bandes de vie végétale qui encerclent la Montagne. Elles sont présentées sur les pages suivantes.

Se profilant sur des versants abrités, les alignements d'épicéas Engelmann et de sapins subalpins s'amenuisent à vue d'œil au fur et à mesure qu'ils approchent

Aux limites de la zone forestière

Le froid et la sècheresse, qui fixent impérieusement les limites de la vie végétale en altitude, agissent tout particulièrement sur les arbres. Le manque d'humidité et la période toujours croissante de gel, font que les épais alignements d'épicéas et de sapins dépérissent et s'amincissent au fur et à mesure que l'altitude augmente. Finalement, à la limite de la zone forestière — qui n'a rien de rectiligne — les espèces alpines les plus hardies ne réussissent pas à satisfaire leurs besoins minimaux et elles laissent la place aux arbrisseaux, aux mousses et aux espaces dénudés.

Le froid aride n'est pas seul responsable du nanisme des arbres aux limites de la zone forestière, les vents violents dominants les déforment aussi. Certains grandissent ramassés sur eux-mêmes, ou même à ras du sol. D'autres ne développent aucune branche sur le côté exposé au vent *(ci-contre),* d'autres encore, sur le versant sous le vent, ont des branches souples encerclant leur tronc. Si l'on monte encore pendant 3 kilomètres, la plupart des arbres sont tordus et réduits à l'état de buissons, et ils ne survivent à l'hiver que parce qu'ils sont protégés par une épaisse couche de neige. Plus d'un alpiniste, pensant avoir dépassé la limite de la zone forestière, se trouve pris en hiver dans les cimes d'une forêt miniature qui, après des dizaines d'années d'existence, peut n'être qu'un épais matelas de verdure enserrant le sol.

GRANDISSANT, SEMBLE-T-IL, à même la roche, chacun de ces arbres *(à gauche)* a, en fait, pris racine dans une petite poche de mousse ou de débris et il a réussi à survivre et à se développer.

de la limite forestière dans les Montagnes Rocheuses du Colorado. Dans cette région, les arbres survivent rarement à une altitude supérieure à 3 500 mètres.

BRAVANT LES ÉLÉMENTS, un sapin solitaire a mis toute son énergie à développer un large et épais matelas de branches basses qui, à même le sol, sont recouvertes et protégées par la neige pendant l'hiver. Plus haut sur le tronc, les branches naissantes — sous le vent — ont été sectionnées par des particules de glace acérées tourbillonnant dans les rafales de la tempête hivernale.

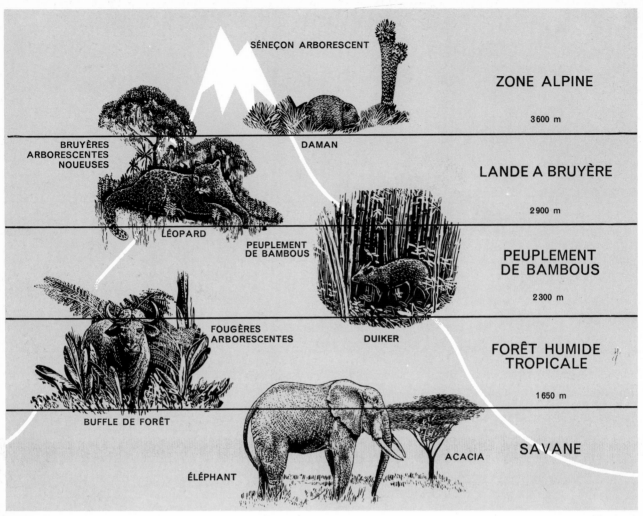

SÉNEÇON ARBORESCENT

ZONE ALPINE

3600 m

DAMAN

BRUYÈRES
ARBORESCENTES
NOUEUSES

LANDE A BRUYÈRE

2900 m

LÉOPARD

PEUPLEMENT
DE BAMBOUS

**PEUPLEMENT
DE BAMBOUS**

2300 m

FOUGÈRES
ARBORESCENTES

DUIKER

**FORÊT HUMIDE
TROPICALE**

1650 m

BUFFLE DE FORÊT

ACACIA

SAVANE

ÉLÉPHANT

Le Ruwenzori possède cinq zones de vie distinctes. Les altitudes moyennes, les plantes et animaux caractéristiques de ces zones sont indiqués ci-dessus.

Les Montagnes de la lune

Au fur et à mesure que croît l'altitude d'une Montagne, les changements de milieu se traduisent par des frontières entre les zones de distribution des végétaux et des animaux. Nulle part cette stratification de la vie n'est plus extrême ou plus spectaculaire que dans le Ruwenzori, une chaîne d'Afrique équatoriale de 130 kilomètres de long, connue dans la légende comme « les Montagnes de la lune ». Là, à quelques kilomètres de distance, on trouve la chaleur de la jungle et le froid glacial; c'est un musée mondial des créatures vivantes divisé en cinq zones d'habitation distinctes *(ci-dessus)*.

La chaîne ne fut découverte par les Européens qu'en 1888, lorsque l'explorateur Henry Stanley aperçut dans les formations nuageuses, au cours d'une rare éclaircie, des cimes coiffées de neige. C'est lui qui dénomma la chaîne du Ruwenzori, d'après une expression indigène qui signifie « faiseur de pluie ». Une pluie fine tombe en effet 350 jours par an pour nourrir la croissance des gigantesques

feuillages du Ruwenzori. A la base de ce curieux royaume, et jusqu'à 1 600 mètres d'altitude, s'étend la savane *(ci-contre)* regorgeant d'animaux. L'habitat de l'homme s'achève aux environs de 2 000 mètres dans la forêt humide tropicale, étouffée par les fougères géantes. Au-dessus, c'est un peuplement de bambous, puis la lande ruisselante de froid, la plus grande région de ce type dans le monde et la zone alpine où quelques plantes pionnières rampent jusqu'à la pointe des glaciers, sur la roche balayée par les vents. Si les alpinistes suivent maintenant des pistes établies, bien peu d'expéditions sont parvenues jusqu'aux cimes, dans les marécages profonds et la verdure étouffante, pour escalader six sommets, à 4 800 mètres d'altitude, au-dessus des glaciers.

DOMINANT LA SAVANE, plaine herbeuse *(ci-contre)* où les éléphants broutent sous les acacias, les Montagnes du Ruwenzori se dressent dans les nuages et sous les précipitations incessantes.

DANS LA FORÊT HUMIDE, des fougères arborescentes noueuses *(à gauche)* étendent leurs frondaisons en une voûte légère et des bananiers sauvages s'emmêlent aux lianes. Encerclant le Ruwenzori entre 1 675 mètres et 2 300 mètres d'altitude, cette zone reste toujours saturée d'humidité grâce à une pluviosité de 3810 millimètres par an.

LA LANDE A BRUYÈRE commence à 2 900 mètres environ *(ci-contre)*. C'est ici que se trouve le domaine des arbres de bruyère tordus, frangés de lichens et penchés sur des lits de mousse et d'hépatiques. Ces arbres (12 m) sont apparentés à la végétation buissonneuse des moors d'Écosse.

LE PEUPLEMENT DE BAMBOUS, inclinant ses troncs souples au-dessus d'une piste *(ci-dessous)* où se reposent les porteurs, forme une ceinture dense entre la forêt humide tropicale et la lande à bruyère. Plante herbacée, le bambou peut grandir de 90 centimètres en un jour et atteindre 30 mètres en deux mois.

LE TRONC ÉCAILLEUX d'un sèneçon arborescent,
membre géant de la famille des asters, se borne à une rosette
de feuilles à l'apparence de chou et à une pointe fleurie.
En bas, à droite, se trouvent des touffes compactes de
carex. L'une et l'autre plantes dominent dans la zone alpine
mais habitent également la partie supérieure de la lande.

LA FRONTIÈRE brumeuse entre la lande à bruyère et
les zones alpines, à 3 600 mètres d'altitude *(à gauche)*
est un froid marécage encombré d'arbres tombés et tapissé
de mousse jaune et orangée. De grandes bruyères et les
hampes florales raides des lobélies se dessinent dans un
dense brouillard qui cache le soleil et étouffe le bruit.

99

AU-DESSUS de 3 600 mètres, des lichens noirs et des mousses brunes se hasardent dans la morne zone alpine. Les lichens sont des germoirs naturels pour les plantes à fleurs les plus audacieuses.

LA GLACE BALAYÉE par la tempête étreint la cime *(ci-contre)* de l'un des six grands sommets du Ruwenzori. Au-dessus de 4 300 mètres, la chaîne est enveloppée de neiges éternelles.

LES PÉTALES imbriqués d'un laurier de montagne saupoudrent d'une bouffée de pollen tous les insectes qui viennent s'y poser, dispositif très important en Montagne où les insectes sont rares.

LA SILÈNE ACAULE se niche dans un creux abrité, dispensant son énergie à développer les amas serrés de fleurs et les racines pivotantes d'un mètre de profondeur dont elle a besoin pour survivre.

D'ingénieuses adaptations de haute Montagne

Bien qu'apparentées aux plantes de la plaine, les plantes alpines représentées sur ces pages constituent des espèces distinctes, dont les caractéristiques essentielles sont leurs ingénieux mécanismes d'adaptation aux âpres conditions de la haute Montagne. La plus remarquable de ces adaptations est la petite taille de ces plantes et leurs très courtes tiges leur permettant de se coucher et d'échapper aux rafales du vent; ainsi elles peuvent consacrer le maigre développement dont elles sont capables pendant une très courte

Pour épanouir leurs clochettes, les tiges des soldanelles alpines ont fait fondre la neige, en irradiant l'énergie accumulée, la chaleur.

LES SURFACES duveteuses des feuilles et des tiges aident ces anaphalis à survivre en retardant leur évaporation, leur conservant une humidité précieuse, vite perdue dans les vents secs alpins.

LA RICHE COULEUR de la gentiane pourpre est une adaptation commune aux plantes qui prospèrent en haute altitude. Les savants supposent que ces nuances colorées attirent certainsinsectes.

saison aux fleurs dont elles ont besoin pour se reproduire et aux longues et indispensables racines pompant l'humidité d'un sol sec et friable. Pour conserver cette humidité, les feuilles de certaines espèces sont recouvertes d'un épais duvet ou d'une pellicule cireuse. Un autre genre d'économie consiste à utiliser pendant plus d'une saison le même jeu de feuilles ainsi obtenu. Certaines plantes bien adaptées au froid et à un ensoleillement minimal commencent à pousser encore ensevelies dans la neige.

Grossies dix fois, les fleurs de la renoncule naine survivent grâce à l'humidité conservée dans la pellicule cireuse des feuilles.

CES ROCHES du cañon du Colorado *(ci-contre)* sont incrustées de lichens de tons éclatants : rouges, jaunes, orangés. Généralement la première plante à apparaître sur la roche nue, le lichen est en réalité deux plantes en une : un champignon, dont les acides décomposent la roche en débris et une algue, qui fournit la matière organique dont le champignon a besoin pour survivre.

LA « NEIGE ROUGE » au bord d'un torrent des Rocheuses du Colorado *(ci-dessous)*, à la teinte caractéristique, est une algue minuscule et invisible qui secrète, pour sa protection, une pellicule gélatineuse rouge. La plus primitive des plantes, l'algue, est insensible aux températures extrêmes et certaines espèces survivent pendant plusieurs mois, même prisonnières d'un bloc de glace.

5

Les hôtes
des versants

L A ténacité des plantes vivaces les plus audacieuses du monde, s'accrochant
aux fissures des cimes alpines, provoque une sorte d'admiration. Et, cependant, tout paraît compréhensible puisqu'une plante doit grandir là où sa graine
est tombée et a germé, que ce soit le flanc d'une Montagne escarpée ou la lézarde
d'un chemin. Pour la vie animale, il en va tout autrement. Car, si les plantes
sont passives, les animaux sont actifs, mobiles, capables de s'en aller lorsqu'ils
se heurtent à un danger ou simplement à des ennuis. La faculté de choisir leur
reste en partie et, malgré cela, une variété et un nombre surprenants d'entre eux
s'obstinent à vivre dans ce que l'on peut considérer comme l'un des milieux les plus
inhospitaliers du globe. Tous les facteurs qui rendent la vie si rude aux plantes s'exer-
cent aussi contre les animaux, et à ceux-là s'en ajoutent d'autres. L'animal doit supporter le même vent, le froid, les températures extrêmes, l'eau et la sécheresse, la
pauvreté du sol, les traîtrises de la glace et de la neige. Il doit aussi, d'une façon
ou d'une autre, trouver l'oxygène dont il a besoin dans un air raréfié et sa
subsistance sur un terrain si abrupt que le moindre faux pas risque d'être fatal.
Et d'abord, pourquoi les animaux vont-ils sur les cimes ? Les raisons sont
nombreuses, certaines sont évidentes, d'autres demeurent encore ignorées. Les
insectes, eux, emportés par les vents qui s'élèvent, n'ont peut-être pas plus la faculté

L'ÉLAN D'AMÉRIQUE est l'un des nombreux animaux à cornes vivant en altitude. Ses magnifiques andouillers peuvent mesurer 1,50 mètre d'une extrémité à l'autre. Des quatre habitants de la Montagne représentés ici, l'élan est de loin le plus grand.

LE CHAMOIS ALPIN possède des cornes courtes et rondes. Elles se dressent toutes droites sur sa tête puis s'incurvent brusquement en arrière. Petit, de ligne très fine, ne pesant que 30 kilos environ, le chamois ne se laisse jamais approcher sur les hautes pentes de la Montagne.

de choisir que les graines des plantes. Mais il est presque certain que la plupart des mammifères et des oiseaux de haute Montagne ont fui — de façon saisonnière ou permanente — l'âpre compétition pour la nourriture et la vie qui règne dans les basses terres surpeuplées. Affamés ou poursuivis par des prédateurs, ils ont simplement pris la route de la Montagne. Ce qui leur est arrivé depuis pourrait paraître surprenant à quiconque n'aurait étudié que les végétaux et connaîtrait les extraordinaires changements évolutionnaires qu'ont subis des espèces telles que la silène acaule. Sans avoir jamais vu un animal de montagne de sa vie, on serait tenté d'essayer d'en dessiner un.

Une ou deux nécessités s'imposeraient immédiatement : l'animal doit pouvoir manger ; de ce fait il lui faut pouvoir se déplacer suffisamment pour brouter les plantes existantes. Mais les Montagnes sont froides et la vie végétale est précaire ; or nous avons vu d'ores et déjà que, broutée de manière trop intensive, la végétation meurt. Donc, première conclusion — et elle serait correcte — le nombre des animaux en Montagne devrait être relativement faible et ces animaux devraient pouvoir conserver leur chaleur.

Pour cela, l'animal idéal aurait la forme d'une balle, il serait court sur pattes, avec de petites oreilles et un épais manteau. Cette configuration est de toute évidence adéquate puisque le rapport volume-surface est plus grand pour la sphère que pour tout autre solide. Et puisque les animaux perdent leur chaleur par leur peau, l'animal sphérique serait le mieux protégé. En outre, une grande sphère est plus favorable à cet égard qu'une petite.

Par conséquent, un savant, plan en main, pourrait gravir la Montagne, convaincu de rencontrer un nombre important de grands animaux sphériques, noirs de préférence puisque les couleurs foncées absorbent la chaleur plus facilement que les couleurs claires. Après une recherche prolongée, il trouverait peut-être quelques créatures s'approchant vaguement de cette forme, mais il en rencontrerait tant d'autres d'un aspect si totalement différent qu'il retournerait probablement bien vite vers la vallée et regagnerait sa planche à dessin, le visage rouge de confusion.

Quelle erreur y aurait-il dans ses calculs ? Tout d'abord, si les Montagnes connaissent certainement un froid âpre, il n'en est pas toujours ainsi; parfois, au milieu du jour, dans les zones protégées, il fait plus chaud que dans les plaines. De toute évidence, une grosse boule pelucheuse souffrirait terriblement dans un climat aussi variable, à moins de disposer d'un mécanisme particulier pour se refroidir. En outre, sa forme sphérique ne l'aiderait pas à échapper aux prédateurs et il ne fait pas de doute que les carnivores poursuivraient les herbivores jusqu'au sommet de la Montagne. Pour survivre, certains d'entre eux tout au moins devraient pouvoir courir très vite.

Leur incapacité de fabriquer leur propre nourriture mise à part, la mobilité des animaux est certainement le trait le plus important qui les différencie des plantes; c'est elle qui a permis à une grande variété d'entre eux de faire les ajustements nécessaires à la vie en Montagne, sans modifications fondamentales de leur forme respective dans la plaine. Les conditions de vie varient de saison en saison sur une Montagne, d'heure en heure et même d'un point à un autre. Un petit retrait abrité dans une faille peut offrir des conditions totalement différentes de celles d'un affleurement exposé au vent 4 mètres plus loin. Pour les plantes, qui sont fixées pour la vie, l'adaptation est essentielle. Pour les animaux qui peuvent se déplacer, elle n'est pas aussi importante.

Par contre, leur taille est primordiale. Un très petit mammifère perd rapidement sa chaleur, si rapidement qu'il doit rester intensément actif et son fourneau personnel intérieur doit être sans cesse alimenté en combustible ou bien l'animal gèle et meurt. La musaraigne des montagnes, le plus petit mammifère trouvé à haute altitude, possède un métabolisme extrêmement élevé ; elle consume l'énergie accumulée par elle à un rythme prodigieux rien que pour conserver sa chaleur. Son cœur bat au rythme de 1 200 pulsations par minute, il lui faut trouver à manger au moins toutes les heures et, pour survivre, elle doit consommer chaque jour son propre poids de nourriture. Des musaraignes captives ont mangé jusqu'à trois fois leur poids de nourriture en une seule journée. Il s'ensuit que les animaux à sang chaud tendent à atteindre leur taille maximale dans les climats froids.

Voici trois façons essentielles de régler le problème du froid en Montagne pour les animaux à sang chaud : la migration, l'hibernation, la recherche d'un abri sous la terre ou sous la neige.

La plupart des grands animaux de montagne émigrent. Dans les Montagnes Rocheuses, l'élan et le mouton à grandes cornes, qui paissent sur les hauteurs pendant l'été, commencent à redescendre à la fin de l'automne pour éviter les neiges profondes. Ils passent l'hiver au-dessous de la zone des forêts, dans des fourrés protégés, où ils trouvent leur nourriture et d'où ils peuvent gagner de riches prairies de plein vent. Ils évitent les plus grands froids en restant à l'abri et en développant un épais pelage hivernal. A l'arrivée du printemps, ils montent à nouveau. Lorsque la neige fond et que l'herbe tendre commence à pousser, ils s'aventurent toujours plus haut, au fil de la saison, guidés par l'espoir d'un approvisionnement continuel en pousses fraîches et tendres quelques mètres plus loin. Leur comportement protège les végétaux eux-mêmes en leur évitant de trop grandes mutilations.

Bien entendu, les prédateurs les suivent, le premier étant le lion de montague. Connu aussi sous le nom de couguar, de panthère, de puma ou de chat sauvage, c'est le plus grand des carnivores répandus en Amérique du Nord. Il vagabondait autrefois sur tout le continent mais il est devenu essentiellement aujourd'hui une espèce de montagne, en partie parce que l'homme l'a chassé sans relâche, en partie aussi parce que l'homme a chassé presque jusqu'à l'extermination un grand nombre des animaux dont se nourrissait le lion d'Amérique. Des générations d'enfants ont grandi dans la crainte de ce chat gigantesque dont le cri, la nuit, semble provenir d'un autre monde. C'est certainement un animal impressionnant, d'une grâce, d'une souplesse et d'une force admirables, pesant parfois jusqu'à 100 kilos, mais sa réputation d'agresseur d'homme est grandement exagérée. L'un d'eux tua et dévora un garçon de 13 ans dans l'état de Washington en 1924, mais c'est le seul cas connu et la plupart des naturalistes sont convaincus que les quelques couguars qui ont pu molester l'homme étaient des bêtes enragées. Ordinairement, ils sont seulement curieux et, dans la forêt, ils suivent parfois un bûcheron ou un trappeur pendant des kilomètres sans d'ailleurs que celui-ci s'en aperçoive.

L E lion de montagne est un régulateur naturel de certaines espèces. Les daims, par exemple, tendent à trop se multiplier et à ruiner la forêt en broutant avec excès; les prédateurs naturels sont là pour maintenir leur nombre dans des limites raisonnables. Le lion de montagne peut aussi lutter victorieusement avec l'élan, bien que celui-ci pèse parfois jusqu'à 600 kilos; il prend aussi sa part de moutons à grandes cornes lorsqu'il réussit à s'en approcher suffisamment. Les moutons, en effet, ont la vue particulièrement perçante et sont doués d'un équilibre extrême en Montagne; à moins de les surprendre dans la prairie, à découvert, il est presque impossible de les capturer.

Fait assez curieux, le plus grand ennemi des moutons des Rocheuses n'est ni l'homme ni le lion de montagne, mais un minuscule ver parasite qui envahit ses poumons. Les animaux ainsi infectés maigrissent et s'anémient et un grand nombre d'entre eux sont achevés par les prédateurs avant d'être tués par les vers. Les savants mirent un certain temps à comprendre la nature de ce mal car si, dans certaines régions, les moutons n'étaient absolument pas contaminés,

LA TAILLE DES MOUTONS A GRANDES CORNES est environ double de celle des moutons domestiques et le mâle possède une paire de cornes épaisses et recourbées. Comme les autres mâles des espèces représentées sur ces pages, il s'en sert essentiellement pour se battre pendant la saison des amours.

LES CHÈVRES DES MONTAGNES ROCHEUSES ne sont nullement des chèvres, mais appartiennent en fait à la famille des chamois. Mâles et femelles possèdent des cornes noires et acérées qu'ils utilisent, si besoin est, pour combattre un prédateur. Mais ils ont normalement recours à leur habileté de grimpeurs pour fuir l'ennemi.

ils étaient sévèrement décimés dans d'autres. Finalement, les observateurs attribuèrent la responsabilité de ce mal à un petit escargot de montagne dans le corps duquel le ver passe une partie de son cycle de vie avant de s'attaquer au mouton. Mais les escargots ne vivent que dans certaines régions parce qu'ils ont besoin de chaux pour fabriquer leur coquille. C'est pourquoi les moutons des montagnes granitiques sont généralement préservés; par contre, dans les régions calcaires, ils sont susceptibles d'être infectés.

Tous les grands herbivores de la montagne sont doués d'un prodigieux équilibre. Indépendamment les uns des autres, ils ont développé un type similaire de sabots qui leur permet de se déplacer très rapidement sur un sol rocheux inégal et de franchir les rebords escarpés. Les sabots de ces animaux sont flexibles, leurs doigts sont pareils à des pinces et leur voûte, relativement lisse et cambrée, leur assure une excellente traction sur les surfaces rocheuses abruptes. Dans les hautes terres escarpées, un loup, par exemple, peut rarement capturer un mouton des Rocheuses, mais, dans de nombreuses régions, la construction des routes goudronnées constitue pour ce dernier un nouveau danger. Il aime, à l'occasion, dormir sur la chaussée, probablement parce que la surface sombre conserve la chaleur, et un loup, débouchant brusquement au tournant, peut souvent se saisir de l'animal avant que ce dernier ait réussi à s'enfuir pour assurer sa sécurité.

Prudence et rapidité sont essentielles au mouton s'il veut vivre. En conséquence, les agneaux, dès leur naissance, doivent être précoces, et ils le sont. Moins d'une heure après leur venue au monde, ils peuvent se tenir debout pour téter. Moins d'une semaine après, ils suivent leur mère, où qu'elle aille. Moins de deux semaines plus tard, ils courent aussi vite qu'elle. Les brebis et les agneaux bêlent comme les moutons domestiques; les béliers sont silencieux et se bornent, devant un danger, à émettre une sorte de ronflement-éternuement; ils grincent aussi des dents en signe de colère.

LES cornes énormes du bélier sont parmi les plus remarquables du royaume animal. Elles se poursuivent en une courbe continue et, chez les mâles âgés, forment un cercle complet, parfois un cercle et demi. Ce ne sont pas des armes au sens conventionnel. La principale fonction des mâles semble être d'établir leur supériorité sur les autres mâles pendant la saison des amours en entreprenant des duels spectaculaires à coups de cornes. Tout d'abord, les combattants se cabrent et se frappent avec leurs cornes frontales pointues, puis ils se mettent dos à dos et s'éloignent l'un de l'autre comme des duellistes humains. Se retournant et se dressant une fois encore, ils chargent alors à toute vitesse pour se heurter tête contre tête dans un bruit que l'on peut entendre à plus d'un kilomètre à la ronde. D'un air hébété, ils recommencent la même manœuvre. La bataille s'achève parfois après quelques passes, mais elle peut aussi durer deux heures et laisser les combattants meurtris et sanglants. De temps à autre, un crâne est fracturé et une corne irrémédiablement brisée; il arrive aussi que l'un des combattants soit buté dans le vide.

Fait intéressant, le poil du mouton des Rocheuses est droit, comme celui du daim. La laine épaisse, qui est communément celle du mouton, est une conséquence de l'élevage sélectionnée des races domestiquées. Les moutons à longues cornes ont néanmoins des manteaux assez épais pour supporter une température inférieure à — 20 degrés. Ils ne semblent jamais souffrir du froid à moins que la nourriture ne vienne à leur manquer en raison de l'abondance de la neige, auquel cas, ils meurent de faim.

De nombreux animaux plus petits trouvent une solution au froid extrême en hibernant. Ce que l'on pourrait presque exprimer ainsi : si vous ne pouvez vaincre le froid, faites comme lui. En d'autres termes, trouvez un trou souterrain où il ne fait pas trop froid, puis laissez la température de votre propre corps s'abaisser jusqu'à ce qu'elle soit presque égale à celle de l'air ambiant. A ce stade, le corps ne souffre plus d'une perte de chaleur et, si vous survivez à cette basse température, tout est pour le mieux.

C'est exactement l'hibernation. Un tamia qui s'est gorgé de nourriture pendant les mois d'été et d'automne sera gras comme beurre. Il se retirera alors dans son trou qui, tapissé d'herbe et de poils de son propre corps, sera plutôt un nid agréablement douillet à une température voisine de 8 degrés. Le tamia tombera alors dans un profond sommeil, ses fonctions corporelles se ralentiront et la température de son corps s'abaissera progressivement. Dans cet état comateux, il utilisera très lentement ses ressources énergétiques. Les battements du cœur d'un tamia — 200 à la minute au rythme normal — tombent à 20 par minute en état d'hibernation. L'animal s'éveillera au printemps, affamé et peut-être amaigri, mais, par ailleurs, en parfaite condition.

En revanche, il paraît plus surprenant en haute Montagne de constater l'activité de petits animaux toute l'année durant. Les rongeurs y sont les plus communs des mammifères et un grand nombre d'entre eux s'affairent tout l'hiver. Ils trouvent une protection, comme de nombreuses plantes, sous la neige, où il ne fait jamais si froid qu'ils ne puissent y vivre confortablement. Peut-être les rongeurs alpins les plus nombreux sont-ils les campagnols. Des spécimens bien vivants, extraits de leur banc de neige en un jour glacé d'hiver par des biologistes du Colorado, gelèrent et moururent en quelques minutes. Mais, au fond, dans leurs galeries labyrinthiques, sous la chaude protection de la neige, ils prospèrent magnifiquement.

Les petits rôdeurs constituent la nourriture de base de nombreux grands prédateurs. Les aigles, les faucons, les renards, les belettes, tous prélèvent leur part et la seule défense du campagnol réside en une fécondité débordante. Une femelle est adulte à 5 semaines, et elle peut mettre au monde des portées de huit petits toutes les 3 semaines. De toute évidence, aucun renard ne pourrait les dévorer tous ni même élever un nombre suffisant de renardeaux pour accomplir cette besogne. En conséquence, les campagnols se trouveraient en constant danger de s'exterminer eux-mêmes du fait de cette surpopulation s'ils n'étaient soumis à un extraordinaire régulateur. Périodiquement, il se produit ce que l'on appelle des effondrements de population. Le nombre de campagnols dans un secteur donné va croissant très rapidement. Puis, tout à fait brusquement, au lieu de continuer comme à l'habitude à manger et à se reproduire, ces petits mammifères deviennent nerveux et agités et passent la plupart de leur temps à déchiqueter les herbes et les racines. La reproduction est oubliée et, comme la moyenne de vie d'un campagnol est inférieure à un an, en très peu de temps, la population tombe à moins de un pour cent de ce qu'elle était quelques mois auparavant.

Plusieurs théories ont été formulées pour expliquer ce phénomène. L'une suppose que les campagnols ont consommé toutes les quantités disponibles d'une ou de certaines plantes — celles-ci restent à déterminer — constituant un élément vital de leur régime alimentaire. Leur comportement serait alors provoqué par le désespoir, et leur mort par leur incapacité à se procurer cette substance quelle qu'elle soit. D'après l'autre théorie, la surpopulation éprouverait les nerfs de l'animal. Élevés en cage, à titre expérimental, les campagnols manifestent certains signes de nervosité lorsque leur population atteint un point critique, même si leur régime a été et continue d'être normal. Cette théorie se trouve vérifiée par l'introduction d'un tranquillisant dans leur nourriture; les campagnols tranquillisés continuent de procréer jusqu'à ce que la cage soit presque littéralement remplie de leurs petits corps.

En revanche, les populations de tamias, de rats-taupes, de marmottes et de nombreux autres petits mammifères de la montagne sont plus stables. Le pika,

FANEUR DE LA MONTAGNE, le pika prépare la provision d'herbes et de fleurs qu'il fera sécher en petits monticules, derrière la roche. L'animal, de la taille d'un chaton, n'hiberne pas et dépend entièrement de ses réserves de fourrage pour les mois d'hiver.

parent du lapin, mais de plus petite taille — aux oreilles courtes et dépourvu de queue — ne souffre d'aucun effondrement de son espèce et il n'hiberne pas. C'est le faneur de la montagne. Il passe ses mois d'été à couper activement des herbes de toutes sortes, qu'il disperse en petits amas dans des endroits abrités, derrière les rochers. La légende prétend que le pika « rentre » son foin en hâte, comme un fermier, lorsqu'une averse menace. Mais tel n'est pas le cas car l'herbe sèche si rapidement dans l'air léger et sous le chaud soleil des hauteurs que des pluies épisodiques ne peuvent l'abîmer. Dans un trou, transformé en un confortable nid tapissé de verdure, entouré commodément de ses piles de foin, le pika passe fort bien la saison froide.

Un grand nombre de ces petits mammifères sont parvenus à mi-chemin, s'ils n'y sont parvenus tout à fait, de la forme sphérique et duveteuse qu'un savant aurait jugé idéale pour eux. Ils ont les pattes courtes, de petites oreilles et, en outre, ils peuvent se mettre en boule. C'est ce qu'ils font lorsqu'ils hibernent ou qu'ils dorment. Non seulement la chaleur de leur corps se trouve ainsi conservée mais, de plus, leur ventre — où le poil est généralement fin et peu épais et par où un grand nombre d'animaux perdent leurs calories — se trouve essentiellement protégé. Par les jours chauds, une marmotte se rafraîchit en s'étirant dans la brise ou en s'étendant sur le ventre dans une plaque de neige.

Un lapin des neiges, pelotonné sur lui-même, les pattes repliées sous lui, a l'aspect d'une boule de fourrure presque parfaite. Il peut rester assis des heures durant dans la neige sans prendre froid et, plus basse est la température, plus il hérisse sa fourrure, plus rond il se fait. Cependant, c'est une créature toute mince avec de longues pattes. Lorsqu'il est poursuivi et obligé par la nécessité de perdre sa chaleur corporelle, son métabolisme peut soudain devenir vingt fois plus grand que lorsqu'il est assis, immobile. Sa forme se trouve alors si totalement altérée qu'il peut courir à une vitesse extrême sur de très longues distances s'il ne s'évanouit pas par raréfaction calorique.

Les lapins et les lièvres offrent d'autres exemples d'adaptation à la vie en Montagne. Le lapin des déserts d'Arizona possède d'énormes oreilles, à peine poilues, qui représentent presque le quart de sa longueur totale, spécialisation qui aide l'animal à conserver quelque fraîcheur dans un climat chaud. Dans le Nord-Ouest, les oreilles de cette même race de lapins représentent seulement le cinquième de la longueur de leur corps. Celles des lapins des neiges représentent un peu plus du huitième de cette longueur et celles des lapins de l'Arctique sont encore plus petites. En outre, les oreilles des espèces nordiques sont, sur toute leur surface, couvertes d'une épaisse fourrure. Le lapin des neiges se nomme en réalité lapin caméléon, parce que sa couleur varie selon les saisons. En été, il est brun pour mieux se camoufler, mais, dès l'automne, des taches blanches commencent à apparaître sur son pelage et, en quelques semaines, il devient entièrement blanc pour se confondre avec la neige. Cela pourrait paraître un désavantage en matière de conservation de la chaleur puisqu'un pelage blanc absorbe moins la chaleur extérieure qu'un pelage sombre. Toutefois, il empêche aussi l'animal de perdre ses propres calories en réfléchissant vers la peau la plus grande partie de celles qu'elle dégage. Pour cette raison, le meilleur pelage par temps très froid serait théoriquement constitué de poils sombres à leur extrémité, mais blancs au niveau de la peau de l'animal. Toutefois, la science sait jusqu'ici peu de choses sur le rapport existant entre la couleur du poil et la conservation de la chaleur — en dehors du fait que c'est là un problème complexe. Le lapin himalayen, par exemple, semble conjuguer les meilleurs atouts des deux mondes : un corps blanc et des oreilles, une queue et des pattes noires. Mais les expériences de laboratoire sur cet animal ont révélé des faits étranges qui touchent au mystère et à la sensibilité des mécanismes de contrôle de la couleur du poil. Lorsque des poils blancs lui sont arrachés dans une pièce dont la tempé-

UNE MARMOTTE BIEN DODUE s'enfuit vers son terrier pour échapper à l'aigle royal qui descend en planant vers elle. Cet aigle construit son nid, très haut, sur des falaises inaccessibles et les marmottes sont sa proie favorite. Les rongeurs se protègent en choisissant pour habitat des pentes rocheuses leur procurant de nombreuses anfractuosités où enterrer leur butin et où se réfugier contre les attaques-surprises. Ils s'avertissent également les uns les autres du danger par un sifflement.

rature est égale ou supérieure à 20 degrés, ils repoussent blancs mais, si la température est inférieure à 10 degrés, ils repoussent noirs. Réciproquement, lorsque des poils noirs sont arrachés et que la peau dénudée est maintenue au chaud par un bandage, ils repoussent blancs. Cela pourrait se comprendre si le lapin lui-même changeait de couleur à l'état primitif, mais il n'en change pas et les expérimentateurs ne comprennent pas encore pourquoi.

Mammifère aussi, mais qui ne suit aucune des règles mentionnées jusqu'ici, telle est la chèvre des Montagnes Rocheuses. Ce n'est pas une vraie chèvre, elle appartient à la famille des chamois et elle se classe à mi-chemin entre les chèvres et les antilopes. Elle n'hiberne pas, elle n'émigre pas, elle ne vit pas sous la neige. Au contraire, elle passe sa vie entière dans les roches au-dessus de la zone des forêts. Là encore, on peut retrouver une étroite et intéressante parenté avec les formes des basses terres; ce qui laisse supposer que les chèvres de montagne ont simplement tiré le parti maximal de certaines spécialisations que possèdent les chèvres et les antilopes du monde entier.

ELLES sont agiles et ont le pied sûr. Elles comptent aussi parmi les plus grands destructeurs de plantes. Elles vivent confortablement sur le fourrage clairsemé des terres arides où peu d'autres animaux se défendent aussi bien. Une chèvre possède 4 estomacs et, en travaillant consciencieusement sur chaque ramille et chaque arbrisseau qu'elle réussit à trouver, elle en extrait l'ultime parcelle de nourriture possible. Ceci est d'une grande utilité pour la chèvre de montagne car le fourrage de la toundra, bien qu'extrêmement nourrissant, est difficile à trouver lorsque la neige profonde recouvre les sommets. Le froid ne gêne pas la chèvre. Elle possède une fourrure laineuse courte et il lui pousse un manteau de poils, éminemment longs, qui pend assez bas sur ses flancs pour protéger les surfaces les plus dénudées de son ventre. En été, ce manteau supplémentaire tombe par poignées, donnant souvent à l'animal un aspect hirsute. La chèvre excelle à trouver des endroits ombragés quand il fait chaud et elle creuse souvent la neige pour s'y rafraîchir. En outre, elle fait rarement un effort. Toute précipitation entraînant une production de chaleur, la chèvre, très intelligemment, a adopté un comportement lent. Elle est assez défiante et elle aime rester sur une éminence exposée d'où ses yeux perçants peuvent surveiller le terrain alentour sur une distance considérable. Un homme qui fait l'ascension de son domaine verra une chèvre debout, indifférente, à 400 mètres de lui mais, lorsqu'il aura escaladé une crête ou deux en soufflant, la chèvre sera toujours à la même distance. La seule façon d'approcher ces animaux est d'arriver au-dessus d'eux sans en être vu. Lorsqu'on les rencontre ainsi, elles semblent vous ignorer superbement; l'une d'elles toutefois, ainsi coincée par un naturaliste sur une plate-forme rocheuse, culbuta ce dernier dans le vide — il atterrit heureusement sans dommage 4 mètres plus bas.

Les chèvres sont parmi les créatures les plus sûres d'elles en Montagne et s'aventurent au long de corniches si étroites qu'elles semblent impraticables. Occasionnellement, si la corniche s'amenuise jusqu'à disparaître, la chèvre, dans l'impossibilité de faire marche arrière, se dresse prudemment sur ses pattes de derrière, fait demi-tour face à la paroi et repart insouciante. Ce sont des animaux trapus mais leur corps est plus large que rond et leurs mouvements sur les rebords rocheux s'en trouvent facilités.

Des chèvres de différentes espèces vivent dans la plupart des Montagnes du monde et leurs habitudes sont très similaires bien, qu'en apparence, elles varient considérablement. Le bouquetin d'Europe en est le type le plus remarquable. Il est possesseur de magnifiques cornes striées qui, parfois, sont aussi longues que son corps. Par contre, les cornes des chèvres des Rocheuses sont petites et pointues. Elles sont d'ailleurs extrêmement acérées et l'on cite des cas où des chèvres acculées par des ours affamés les ont repoussés et même tués. Dans l'ensemble, ce sont les mammifères des hautes altitudes les plus admirablement adaptés. Tout au long de l'année, ils partagent leurs cimes solitaires avec certains insectes, des araignées et quelques oiseaux vigoureux comme le ptarmigan ou le corbeau, qui les rejoignent par les hivers doux.

De toutes les créatures, les oiseaux sont les mieux adaptés à la vie en Montagne puisqu'ils sont les plus mobiles. Les aigles et les vautours hantent les rochers escarpés; les petits animaux sont la proie des premiers et les charognes celle du second. Dans chaque cas, leur structure prime tout. Le membre le plus grand de la famille des vautours, le condor des Andes, est presque un planeur parfait. C'est un oiseau énorme, avec une envergure de plus de 3 mètres, mais ses os sont creux et très légers et, bien que sa taille soit à peu près la même que celle d'un pingouin empereur, il pèse moins de la moitié de cet animal. Ainsi conformé, il peut planer d'avant en arrière sur les courants d'air ascendants, au long des chaînes montagneuses, faisant confiance à ses deux yeux, les plus perçants du monde, pour apercevoir un lapin mort ou la carcasse d'un daim abandonné par un lion de montagne, à 8 kilomètres de distance. On croyait jadis que les vautours localisaient les charognes à de grandes distances par un sens très développé de l'odorat, mais les expériences réalisées avec des modèles d'animaux soigneusement construits ont prouvé que la vue, comme chez l'aigle, était le sens essentiel. L'ornithologue Edward Howe Forbush repéra un jour un aigle audacieux, ailes déployées, volant très haut au-dessus de lui. Il le suivit à la jumelle tandis que l'oiseau se dirigeait, droit comme une flèche, pour atterrir sur une plage à 2 kilomètres de là et y ramasser un petit poisson mort.

Les changements brutaux d'altitude semblent avoir peu d'effet sur les oiseaux. Un aigle peut profiter d'un courant d'air chaud montant du fond de la vallée et planer en cercles lents jusqu'à parcourir verticalement plusieurs kilomètres en une demi-heure. Un changement aussi soudain entraînerait chez un homme toutes sortes de symptômes inconfortables puisque ses poumons seraient incapables de trouver suffisamment d'oxygène dans l'air raréfié pour satisfaire les besoins de son corps. Mais les oiseaux ont des poumons plus efficaces que ceux des hommes. Relativement plus grands, ils sont construits pour mettre en contact rapide avec le sang une réserve d'oxygène importante. On peut répondre que l'aigle ne fait que planer, laissant les courants d'air ascendants faire le travail et que, par conséquent, il n'a pas besoin de plus d'oxygène que s'il était posé sur la cime d'un arbre, mais que dire de l'oie à tête barrée, cet oiseau lourd, que l'on a vu voler avec de puissants battements d'ailes au-dessus de l'Himalaya, à des altitudes supérieures à celle du sommet de l'Éverest ? Dans de telles conditions les besoins énergétiques de cet oiseau sont considérables et ses appareils circulatoire et respiratoire doivent être d'une efficacité sans égale chez les mammifères.

Beaucoup plus petits que le condor, l'aigle ou l'oie, mais étroitement associés aux cimes, nous trouvons les martinets. Chaque continent possède des représentants de cette famille parente de l'hirondelle, un type remarquable étant le martinet noir de l'Amérique du Nord. Cet oiseau passe presque toute sa vie en vol, chevauchant les courants ascendants à longueur de journée, effectuant une démonstration de grâce aérienne sans rivale dans le monde des oiseaux. On a chronométré des plongeons de martinets à des vitesses supérieures à 320 kilomètres/heure. Ils se nourrissent en vol, le bec grand ouvert; les poils raides et hérissés de leur cavité buccale retiennent avec efficacité les insectes que le vent entraîne par nuages vers les hauteurs. Les martinets nichent dans les corniches et ils sont d'ailleurs tenus de le faire, car leurs pattes sont si faibles qu'ils ne peuvent s'envoler en position assise; ils doivent littéralement se laisser tomber d'un perchoir élevé pour se trouver portés par l'air. En hiver, lorsque le nombre des insectes en vol diminue, les martinets émigrent et certains parcourent des milliers de kilomètres pour retrouver des milieux similaires sur d'autres continents.

Les insectes n'envahissent la Montagne en quantité qu'au printemps et en été. Parvenus là, ils sont rapidement engourdis par le froid et tombent dans la neige. Cela ne les tue pas fatalement, mais les immobilise car ils appartiennent à un groupe considérable de créatures qui ne possèdent aucun mécanisme intérieur pour régulariser la température du corps et prennent approximativement celle de l'air ambiant. Les créatures possédant cette caractéristique sont dites poïkilothermes.

En général, plus un animal se trouve au bas de l'échelle de l'évolution, plus grande est sa résistance aux extrêmes de température. Soumis à d'autres lois, un être humain mourra si sa température tombe à 18° ou s'élève à 45°. Mais des poissons, à des températures inférieures à — 20°, des grenouilles à — 30°, la chrysalide d'une mite à — 35° et des escargots à — 120°, réchauffés graduellement et prudemment, ont survécu. Cela ne veut pas dire cependant qu'aucun de ces animaux ne peut geler. Si la température est assez basse et qu'elle soit maintenue assez longtemps pour permettre la formation de cristaux de glace à l'intérieur des cellules, celles-ci meurent. Des démonstrations convaincantes en ont été faites par certains illusionnistes sur scène, mais elles sont entachées de fraude. La méthode habituelle consiste à plonger un petit poisson rouge dans un bocal d'air liquide, qui, très vite, gèle le poisson. Quelques instants plus tard, un plus gros poisson est à son tour immergé, puis retiré presque immédiatement et placé dans une cuvette d'eau où il semble nager apparemment indemne. Ce sur quoi, le petit poisson est enlevé de l'air liquide et spectaculairement réduit en fragments avec un marteau. Ce dont les spectateurs ne se rendent pas compte, c'est que le gros poisson est également condamné. Il mourra un ou deux jours plus tard, car sa peau et d'autres cellules épithéliales ont été endommagées par leur immersion momentanée dans l'air liquide et elles tomberont.

Dans la mesure où le liquide cellulaire de nombreux animaux peut résister à la congélation (et certains de ces liquides sont remarquablement résistants), le froid ne provoque en soi aucun dommage. Il ne fait que restreindre l'activité et parfois les habitudes de l'animal. Sur les cimes montagneuses, avec les changements de températures fantastiques entre le jour et la nuit, les insectes qui, à basse altitude, volent ou marchent normalement la nuit, sont immobilisés par le froid. En conséquence, la plupart d'entre eux sont absents à haute altitude bien que quelques-uns aient réussi à s'adapter et y soient devenus des créatures diurnes. La nuit, ils s'abritent dans le sol chaud ou dans des fissures de roche et ils reposent, engourdis, jusqu'au retour de la vivifiante chaleur. Même par des jours simplement nuageux, bourdons et mouches ne peuvent quitter le sol; ils vont, hébétés, ou restent même immobiles sur leur flanc. Les araignées-loups, ou lycoses, et autres petits prédateurs, y compris les musaraignes, font leur meilleure chasse en fin d'après-midi lorsque les insectes sont incapables de voler. Comme pour se défendre du froid, un grand nombre de coléoptères alpins sont noirs, ce qui leur permet d'absorber toute la lumière solaire avec le maximum d'efficacité. Pour se défendre des vents toujours présents, certains papillons volent habituellement très près du sol : s'ils volaient plus haut ils risqueraient d'être emportés hors de leur habitat, à des altitudes où soufflent des vents encore plus sévères et où règnent des conditions de vie plus difficiles encore. D'autres insectes de montagne possèdent de courtes ailes, d'autres n'en ont pas du tout.

En raison des problèmes imposés par le vent et le froid, on a longtemps pensé que la plupart des insectes ailés trouvés dans la Montagne y avaient été entraînés accidentellement par le vent. Peu à peu, cependant, on a appris que certaines formes y existaient tout au long de l'année, que certains papillons

FOURRAGEUR AQUATIQUE, le merle d'eau cherche sa nourriture sur les fonds rocheux des torrents de la Montagne. Il en existe plusieurs variétés, vivant dans les régions d'altitude, de l'Alaska à l'Asie centrale. Ils plongent dans les courants rapides d'eau vive tout l'hiver, même lorsque la température atmosphérique atteint — 45 °C.

mettaient deux ans à parvenir à la forme adulte et que certaines sauterelles en mettaient trois. Mais, si certains insectes mangent d'autres insectes, tous dépendent finalement des plantes, et l'on demeura convaincu pendant de nombreuses années qu'aux altitudes au-delà desquelles ne pousse aucun végétal nul insecte ne pouvait vivre.

Imaginez alors la surprise des alpinistes britanniques qui trouvèrent des araignées sauteuses à 6 700 mètres d'altitude, sur l'Éverest. Avaient-elles été emportées par le vent ? Sinon, quels insectes mangeaient-elles, et que mangeaient les insectes-là ?

Ceux qui allaient être les vainqueurs de l'Éverest n'avaient ni ce temps ni l'énergie de chercher une réponse à cette question, mais un naturaliste britannique, le major R.W.G. Hingston, suggéra que d'autres araignées et d'autres insectes emportés par le vent leur fournissaient leur nourriture.

En 1961, une explication plus raffinée fut proposée par un biologiste américain, Lawrence W. Swan, dans un article publié dans la revue *Scientific American*. Swan y confirmait l'existence d'araignées sauteuses à haute altitude dans l'Himalaya et découvrait qu'elles mangeaient de petites mouches et des podures. Ces insectes, à leur tour, vivaient sur des champignons et sur la végétation en putréfaction. Ce qui fascina Swan, ce fut la découverte de podures et de mouches de glacier plus haut encore, à des altitudes où il n'existait « aucune trace visible de plantes passées ou présentes ».

Ni les podures ni la mouche de glacier ne peuvent voler; le mieux qu'ils réussissent à faire, c'est un petit saut de 1 ou 2 centimètres. Il était de toute évidence impossible d'expliquer la présence de ces deux espèces dans ces régions de roche aride balayées par les vents et couvertes de neige, sinon en admettant qu'elles réussissaient d'une façon ou d'une autre à y vivre de façon permanente. L'adaptation de la mouche de glacier à la vie dans ce milieu s'expliqua rapidement : elle est d'un brun sombre et, bien qu'elle passe parfois la nuit collée par le gel sur une plaque de neige, son corps sombre absorbe suffisamment de chaleur solaire durant le jour pour dégeler la glace et laisser l'insecte se tortiller librement et sauter alentour.

Mais que mange-t-il ? Une enquête minutieuse révéla finalement quelques insectes morts dans la neige et, çà et là, de minuscules rassemblements de pollen emporté par le vent. Swan en conclut que de minuscules insectes et d'autres formes de vie pouvaient être considérés comme des résidents sédentaires, même à ces altitudes incroyables, et que dans « la forteresse des Himalayas »... il existe un nouveau système écologique à étudier : la communauté supra-alpine ou éolienne, nourrie par les débris qu'emporte le vent. Il est à présumer que la vie que l'on connaît au fond des mers existe aussi sous une forme ou sous une autre sur les plus hauts sommets du monde.

Après l'âge de l'exploration viendra celui de la recherche. Après avoir appris à s'adapter à la vie sous-marine, comme il le fait actuellement, l'homme apprendra à vivre en haute altitude. Les moyens techniques dont bénéficient les expéditions actuelles en haute Montagne sont déjà grandement améliorés comparés à ceux de l'époque héroïque des premiers ascensionnistes et ils continueront de l'être. Peut-être verra-t-on un jour des stations d'écologie supra-alpines et éoliennes où les savants du monde entier viendront étudier les organismes animaux ? Ainsi, en dépit du froid intense et des conditions qui nous paraissent inhumaines, ces savants découvriront sur les plus hauts sommets du monde des espèces inconnues; ils en étudieront la morphologie et les structures internes et ils contribueront à apporter de nouvelles données à l'histoire de la planète où nous vivons. Ce jour-là, un autre voile se lèvera sur certains aspects mystérieux de la vie.

Le léopard des neiges aux longs poils rôde dans les Montagnes d'Asie centrale ; il descend rarement au-dessous de 1 800 mètres, même en hiver.

Les fugitifs des plaines

Les arêtes dénudées et les ravines du terrain très montagneux au-dessus de la zone des forêts ne sont pas aussi désolées qu'elles peuvent le paraître. Toutes sortes d'animaux y abondent. La plupart sont des fugitifs des plaines, chassés par les autres animaux et forcés de fuir vers les hauteurs. Beaucoup se sont adaptés aux températures extrêmes, à une alimentation précaire et à un air pauvre en oxygène, rigueurs qui vont de pair avec la haute altitude.

HABILE GRIMPEUR, l'aoudad de l'Afrique du Nord-Ouest est également à l'aise sur les hautes corniches de l'Atlas et dans le Sahara brûlé de soleil. C'est la seule chèvre sauvage d'Afrique.

Les adaptations du pelage et du sabot

Les chèvres et les moutons sauvages semblent idéalement adaptés pour faire face aux extrêmes qu'impose la vie au-dessus de la zone des forêts. Capables d'une assimilation extraordinairement efficace de leur nourriture, ces animaux font aussi de prudentes réserves énergétiques et ne se déplacent rapidement que lorsqu'ils y sont forcés par un danger imminent. Pour combattre le climat humide et froid des cimes, la chèvre des Montagnes Rocheuses (ci-contre) arbore deux manteaux de poils imperméables, un long manteau par dessus, un autre plus épais en dessous. Les adaptations les plus remarquables de toutes sont présentées par leurs sabots, conçus pour des déplacements rapides en terrains accidentés. Ils sont doublés d'une semelle concave souple qui adhère aux surfaces lisses, comme du caoutchouc, et ont des doigts pointus qui s'agrippent aux pentes rocheuses presque comme des pinces. Sur de pareils sabots, les chèvres à grandes cornes descendent des plans inclinés presque verticaux en une vingtaine de bonds successifs de 6 à 7 mètres chacun.

LA TÊTE PENCHÉE, cette chèvre des Montagnes Rocheuses en quête d'un pâturage au-dessus de la zone des forêts, marque un temps d'arrêt (ci-contre). Grande et maigre, elle possède une forme idéale pour se déplacer le long de très étroites corniches.

LA SAISON DU RUT pour les béliers des Montagnes Rocheuses est celle des combats. Deux solides mâles s'affrontent ici : les deux bêtes reculent pour charger (en haut), se heurtent violemment tête contre tête, et restent étourdies par le choc (en bas).

119

La renaissance du bouquetin

Dans les Alpes vivent aujourd'hui de nombreux troupeaux de bouquetins aux cornes splendides. Le touriste peut maintenant les apercevoir, broutant et prenant le soleil dans les prairies escarpées des hautes crêtes. Il n'en fut pas toujours ainsi. Il y a tout juste une centaine d'années, le bouquetin, établi depuis si longtemps dans les Alpes — les hommes des cavernes l'ont souvent représenté dans leurs dessins — était sur le point de disparaître complètement. Gibier impitoyablement chassé par l'homme, le bouquetin était tué aussi pour les vertus médicinales qu'on lui attribuait. En 1850, il n'en restait plus que quelques spécimens sur les pics éloignés des Alpes italiennes. Le roi Victor-Emmanuel II se déclara alors leur protecteur et une longue période de renaissance commença pour l'animal. En 1911, on essaya avec succès d'introduire en Suisse deux mâles et trois femelles : aujourd'hui 2 000 descendants de ces trois animaux parcourent les Alpes. La survie du bouquetin semble assurée.

POUR SE GRATTER LE DOS, un bouquetin utilise ses cornes longues de 90 cm. Celles-ci s'allongent au fur et à mesure que l'animal devient adulte. Des anneaux marquent leur croissance annuelle. Les stries proéminentes ne sont pas considérées comme un indice sûr de l'âge car il s'en forme fréquemment deux ou trois en une année. Chez les individus âgés, les saillies sont usées et il n'en reste presque rien.

LEURS CORNES MAJESTUEUSES mises en valeur par la lumière du matin, des béliers se dirigent vers un pâturage. Les mâles âgés, aux cornes de prix, sont au centre ; les jeunes, aux courtes cornes, au premier plan. Généralement, les mâles restent en haute altitude, ne rejoignant les femelles qu'à la saison des amours. Les femelles et les jeunes vivent ensemble sur des pentes moins élevées.

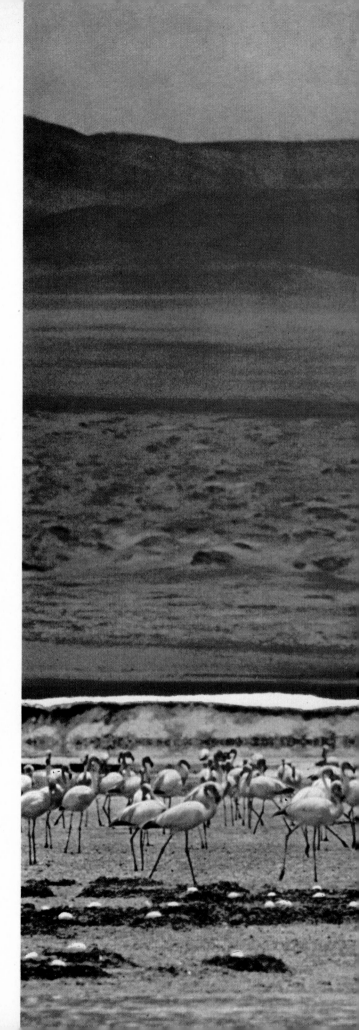

UN TIMIDE GUANACO, parent américain du chameau, se tient, telle une sentinelle attentive, sur une crête des Andes pendant que broutent ses compagnons. Ses descendants domestiques, le lama et l'alpaca, constituent les ressources de base des Indiens d'Amérique du Sud, auxquels ils fournissent la laine, la viande et un moyen de transport.

CETTE ARMÉE DE FLAMANTS ROSES *(à droite)* niche sur les berges teintées de brume bleutée d'un lac salé, à 4 500 mètres d'altitude, dans les Andes boliviennes. A cette hauteur, les oisillons flamants doivent supporter une température de + 21º la journée et de — 20º la nuit.

MARAUDEUR LÉGENDAIRE aux multiples
noms, le lion de montagne *(ci-contre)* s'appelle
aussi puma, couguar ou chat sauvage. Bien que
chassé sans relâche parce qu'il s'attaque aux troupeaux, c'est le prédateur le plus répandu du Nouveau Monde, depuis l'Alaska jusqu'à l'Argentine.

TIMIDE AMOUREUX de son foyer, le pika s'aventure rarement à plus de 90 centimètres de son trou,
dans une fente de roche. Nés au printemps par
portées de 3 à 6, les jeunes ont, à l'automne, installé
leur propre demeure dans le voisinage de celle
des parents et constitué des stocks de foin
suffisants qui leur permettront de supporter l'hiver.

JETANT UN COUP D'ŒIL furtif hors d'une
fente rocheuse, ce couple d'écureuils dorés *(ci-
dessous)* guettent constamment les prédateurs.
Durant le court été en Montagne, ces rongeurs survivent aux attaques des pumas, des coyotes, des
faucons et des belettes et ils deviennent assez gros
pour pouvoir hiberner pendant cinq à sept mois.

LA MORT EST VENUE, soudaine, pour un tamia *(à droite)*. S'étant fait surprendre, il est prisonnier des larges serres d'un aigle royal, le plus grand des oiseaux prédateurs d'Amérique du Nord. La légende prétend que l'aigle enlève des enfants, mais cela est de toute évidence impossible : l'oiseau ne peut soulever en vol un poids supérieur à 8 livres.

RÉCLAMANT LEUR NOURRITURE, deux oisillons de merles d'eau *(ci-dessous)* ouvrent tout grand leur bec, dans leur nid de mousse, au flanc des Montagnes Rocheuses. Adultes, ils ont un plumage épais et huileux qui leur permet de se déplacer sur les fonds sableux des torrents glacés de la Montagne, à la recherche de larves d'insectes et d'escargots.

6

L'homme
en haute altitude

LES Montagnes ont modelé et façonné le cours d'une grande partie de l'histoire
du monde. Souvent, en effet, leur masse imposante a obligé l'homme à
rebrousser chemin et ses cimes glacées l'ont découragé et vaincu. Et si, parfois,
elles ont été pour lui un refuge, toujours elles ont été un défi. « Amenez-moi des
hommes dignes de mes Montagnes », peut-on lire sur un édifice public de Sacramento, en Californie. Il y a un peu plus d'un siècle, Sacramento fut le centre du
plus célèbre mouvement de masse des hommes modernes vers la Montagne :
la ruée vers l'or de 1849. Sur ces hauteurs, l'or est depuis longtemps épuisé et
les hautes pentes de la Sierra Nevada offrent par endroits un paysage de villes
fantômes. Mais les Californiens sont toujours aux prises avec leurs Montagnes
et ils sont modelés par elles. Car c'est la neige fondue de ces Montagnes, contenue
et canalisée vers les basses terres, qui a transformé le désert côtier en un jardin
et fait de la Californie l'état des États-Unis qui a la densité de population
la plus forte.

Il semblerait donc que, laissés libres de choisir, et devant la perspective de
nouveaux progrès, les hommes s'empareront du patrimoine des Montagnes —
leurs minéraux, leurs eaux, leurs forêts, leurs possibilités touristiques — mais ils ne
s'y établiront pas. Cela semble vrai pour des territoires nouveaux comme l'Ouest

américain, les Rocheuses du Canada et les Alpes néo-zélandaises. Mais c'est là seulement une partie de l'histoire, et celle de l'homme associé aux Montagnes, même dans ces régions, ne fait que commencer. L'homme est présent dans la Montagne depuis que les premiers chasseurs ont gravi les grandes pentes. L'association de l'homme et de la Montagne est presque aussi vieille que celle de l'homme et de la mer.

LES conditions de vie pour l'homme sont différentes et généralement plus dures en Montagne qu'en plaine. A la base, elles dépendent de trois facteurs décisifs et de l'alliance de ces facteurs. Ce sont : le terrain, le climat et l'isolement du reste de l'espèce humaine auquel oblige la vie en altitude.

Parmi ceux-ci, le facteur terrain est le plus important. Même dans les climats les plus favorisés, les Montagnes imposent des contraintes qui pèsent sur la vie. La victoire est possible mais le prix en est élevé. L'inclinaison de la terre rend tout travail plus laborieux. Une énergie supplémentaire doit être fournie, non seulement pour traîner les fardeaux au haut des pentes mais aussi pour freiner leur descente. Chaque champ dans la Montagne requiert davantage de travail qu'en plaine. La pente, en outre, n'est pas simplement une ennemie passive. Elle entraîne la terre des champs cultivés par l'homme au bas de la Montagne.

En bien des lieux du monde, les hommes essayent de combattre la pente par des murettes et des terrasses. Aux Philippines, en Inde et au Népal, dans les vallées à dense population du Sud-Est asiatique, et surtout dans les campagnes collectivisées de Chine, des millions d'hommes luttent toute leur vie pour maintenir en place les champs qu'ils ont étayés. Même sur une pente relativement douce, comme les côteaux de la Côte-d'Or, en Bourgogne, le vigneron s'empresse dès qu'il pleut de remettre en place, de ses mains nues, la terre entraînée par l'eau.

La déclivité du terrain, donc, est une force si hostile de la Montagne que le skieur semble être le seul homme à en bénéficier. L'influence du climat, second facteur fondamental, est en quelque sorte plus complexe. Dans les zones tempérées, le temps qui règne en Montagne décourage l'homme d'y faire sa vie, les champs sont en effet recouverts d'un tapis immaculé pendant une très longue période de l'année, réduisant la saison propice à la croissance des cultures à deux ou trois mois seulement. Aux points les plus élevés de la zone tempérée du globe, il fait simplement trop froid pour que l'homme puisse y vivre en permanence. Cependant, sous les tropiques, la Montagne peut constituer pour l'homme le meilleur habitat. La malaria, la maladie du sommeil, les autres maladies des pays chauds y sont inconnues; la température y est plus douce et la pluviosité mieux répartie; le sol y est même parfois de meilleure qualité.

La vallée de Mexico, « bassin intramontain » situé à 2 200 mètres d'altitude dans l'arête continentale, et site de la capitale du Mexique, fut un centre de pouvoir politique au cours des trois mille ans de civilisation de l'Amérique centrale. Les savants pensent que la culture du blé qui donna naissance à la première civilisation du Nouveau Monde fut probablement réalisée pour la première fois, quelque part dans les hautes terres du Guatemala ou au sud-est de Mexico. Bogotá, dans les Andes colombiennes, est située presque exactement à l'équateur; cependant son altitude — 2 650 mètres — lui vaut un climat si frais que les colons espagnols ont pu y perpétuer fidèlement leurs traditions jusqu'à porter des costumes noirs pour aller aux offices. Il fait aussi frais à Bogotá que dans le Madrid dont ils sont originaires.

A proximité de l'équateur, en de nombreuses régions situées en altitude, on ne trouve pas les changements de saisons auxquels la plupart d'entre nous sont habitués. Dans certaines régions des Andes boliviennes ou péruviennes, le climat est un éternel printemps, les pêchers fleurissent tout au long de l'année et les champs fournissent plusieurs récoltes annuelles. En fait, le milieu dans ces régions est suffisamment agréable pour avoir favorisé l'épanouissement de la seule grande civilisation indigène du continent, celle des Incas. Au cours du développement de la civilisation des Andes, qui a duré quatre mille ans, des millions d'hommes ont occupé les hautes vallées de la Cordillère centrale et un grand nombre d'entre eux se sont établis, il y a fort longtemps, dans des demeures permanentes qui sont les plus élevées du globe. Aux altitudes extrêmes, cependant, les avantages de la vie équatoriale en Montagne disparaissent; l'air devient trop léger et trop froid pour être hospitalier. Pour l'homme du commun, en fait, le climat des hautes Andes est si défavorable qu'il pose un problème presque insurmontable à toute survie : comment trouver assez d'oxygène pour respirer ?

La plupart d'entre nous vivent au fond d'un océan d'air de 16 kilomètres d'épaisseur. La densité de cet air pesant et compressible s'accroît avec cette épaisseur. Au niveau de la mer, un homme est adapté à cette densité ou à cette pression et ses poumons sont conformés de telle façon que, lorsqu'il respire, une quantité d'oxygène suffisante parvient aux minces bronchioles de ses poumons qui transmettent au sang ce dont il a besoin. Mais, lorsqu'on s'élève, la pression diminue. A 3 000 mètres, elle est insuffisante pour apporter aux bronchioles pulmonaires la provision d'oxygène voulue. En conséquence, la teneur en oxygène du sang peut s'abaisser de 15 % sur le taux normal et ce manque peut provoquer des maux de tête, de la fatigue et une respiration rapide. A 5 500 mètres, la pression de l'air n'est plus que la moitié de ce qu'elle est au niveau de la mer, et peu de personnes échappent à des malaises plus prononcés. A moins que le corps humain ne puisse suppléer à cette raréfaction de l'oxygène d'une façon ou d'une autre et rétablir un équilibre vital, l'homme tombera malade et mourra.

Cependant, dans les hautes Andes et au Tibet, non seulement les hommes survivent à ces altitudes mais ils y passent leur vie entière, travaillant et jouant aussi normalement que chacun d'entre nous au niveau de la mer. De toute évidence, ces peuples ont fait un fantastique usage de ce que leurs communautés ont appris au cours des siècles passés pour adapter leurs activités quotidiennes à un milieu extrême. Mais, fait plus important, ils ont surmonté le problème de l'altitude permanente par une spectaculaire adaptation. Ils sont devenus physiologiquement différents du reste d'entre nous, en particulier par des modifications de leurs appareils respiratoire et circulatoire.

UNE des premières choses que remarque un visiteur dans les hautes Andes, c'est que les habitants trapus de ces pentes ont une poitrine d'une largeur fantastique. Et ils possèdent des poumons d'un développement identique. En outre, les petites poches, ou alvéoles, qui tapissent les poumons et leur donnent un volume d'air supplémentaire sont, chez ces personnes, toujours dilatées. Cette structuration permet à la plus grande quantité de sang possible de circuler dans les délicats tissus pulmonaires et d'y absorber un maximum d'oxygène.

Les Indiens des hautes Andes ont plus de sang que les habitants des basses terres — environ 20 % de plus. Ce sang supplémentaire est composé en grande partie de globules rouges, parce que ce sont les globules rouges qui retiennent l'hémoglobine, primordiale pour fixer et absorber l'oxygène. Chez les Indiens vivant à 4 500 mètres d'altitude, on constate une augmentation de près de 60 % du poids de cette hémoglobine vitale. Chacun des globules, en outre, est plus gros que ceux des habitants des plaines et, du même coup, offre une plus grande surface d'absorption.

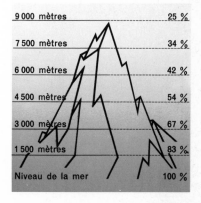

LA PRESSION ALVÉOLAIRE offre un moyen de mesurer la quantité d'oxygène qui peut pénétrer dans le sang à des altitudes variées. L'expression est dérivée du mot « alvéoles », petites cellules d'air, situées dans les poumons, dont l'oxygène traverse les membranes pour atteindre le sang. Ce diagramme, sur lequel la pression alvéolaire «normale» est représentée à 100 % au niveau de la mer, montre la diminution de cette pression au fur et à mesure que l'air se raréfie avec l'altitude. A 9 000 mètres, elle est le quart du taux normal.

Parce que le sang des Indiens de la Montagne est très riche en globules rouges, il est plus épais et plus visqueux que celui des habitants des basses terres. Et, comme le cœur doit pomper plus vigoureusement à ces hauteurs, celui des habitants des Andes est plus gros d'un cinquième. Autre particularité, il bat plus lentement. Le corps de l'homme des Andes est ramassé, trapu, ce qui signifie que le sang n'a pas à être pompé très loin chaque fois qu'il circule. Au bout des courtes extrémités de son corps se situe un nombre anormalement important de passages directs entre petites artères et petites veines. Ceci active la circulation et permet à l'Indien d'aller sans souci mains et pieds nus parfois, alors que les habitants des plaines verraient les unes et les autres geler s'ils essayaient d'en faire autant. Tels des oiseaux, ces peuples peuvent aller pieds nus dans la neige sans en souffrir.

Les Indiens des hautes Andes sont les vestiges d'une civilisation qui ressentit beaucoup plus que les Écossais, les Suisses ou d'autres montagnards d'Europe, l'amour de la Montagne. Ce fut la civilisation Inca. Elle-même s'était établie sur les fondations culturelles d'un peuple primitif, développées au cours des milliers d'années qui avaient précédé. Les Incas étaient de grands constructeurs et de grands organisateurs. Dirigés par un empereur qui était aussi le chef religieux et le commandant militaire suprême, ils édifièrent des villes sur les crêtes les plus élevées des Andes neigeuses et, pour parer aux attaques des bandits des plaines amazoniennes, construisirent d'impérissables forteresses de pierre étagées, comme Machu Picchu, qui ne fut redécouvert qu'en 1911. Ils construisirent 5 250 kilomètres de routes empierrées, transportèrent l'eau nécessaire à l'irrigation par des tunnels sous la Montagne, cultivèrent les pentes en terrasse à des angles de 60 degrés. Ils colonisèrent les hauteurs en faisant garder leurs énormes troupeaux de lamas par des bergers.

Lorsque les Espagnols firent la conquête du Pérou, en 1532, ils exterminèrent les membres de la classe dirigeante des Incas et versèrent dans l'armée tous les autres. Aujourd'hui, l'Indien des Andes est pauvre et affaibli par les maladies résultant des mauvaises conditions sanitaires et d'une mauvaise nutrition permanente. Mais 5,5 millions d'entre eux parlent encore le quechua, la langue des Incas, et l'agriculture de base établie par eux dans les hautes terres a survécu.

Lamas et alpacas, animaux de montagne parents du chameau, fournissent encore à ces hommes les vêtements chauds dont ils ont besoin à ces altitudes. Comme combustible, au-dessus de la zone des forêts, les Indiens brûlent la bouse de lama. Le principal aliment des hautes Andes est la pomme de terre, qui fut cultivée pour la première fois sur ces pentes. Certaines variétés locales sont si résistantes qu'elles continuent à pousser alors que leurs feuilles sont couvertes de gelée.

L E blé pousse jusqu'à 3 800 mètres mais il met 9 à 10 mois à mûrir. En outre, les Indiens cultivent toutes sortes d'étranges tubercules inconnus aux altitudes inférieures. Ils récoltent un cresson de montagne comestible, et font du porridge avec les graines d'une plante dénommée *Quinoa*. Cependant, ils n'ont pas encore assez à manger. Tenus de remettre la moitié de leur production aux grands propriétaires, ils ne peuvent se permettre d'abattre un lama pour en consommer la viande. Certains essayent d'élever des cochons d'Inde comme certains fermiers des plaines élèvent des poulets. Le manque de matières grasses dans leur régime provoque chez beaucoup des crevasses à la plante de leurs pieds calleux, sur leurs lèvres et autour des yeux. Néanmoins, bien peu s'en vont, et parmi ceux qui partent vers les basses terres, beaucoup tombent malades, souvent atteints par la tuberculose. Pour endormir la douleur due à la faim et au froid, les peuples de la montagne mâchent la feuille narcotique du coca, qui pousse sur

LES DIFFÉRENCES DE COMPOSITION du sang entre un montagnard des Andes et un habitant des plaines apparaissent ci-dessus. Les deux hommes pèsent 65 kilos, mais le montagnard est plus petit et plus trapu. Le volume total de son sang (indiqué par le trait noir dans l'éprouvette) est d'environ 6 litres, et il est composé pour plus de la moitié de globules rouges. L'habitant des plaines n'en possède que 5 litres dont les globules rouges ne représentent pas la moitié.

les pentes élevées. Au temps de la civilisation Inca, le coca était réservé à l'usage cérémonial des prêtres et des nobles. Maintenant 9 Indiens sur 10 en consomment. Tandis qu'ils mâchent et qu'ils avalent leur salive, leurs nerfs s'apaisent; ils ont l'impression d'avoir plus chaud, d'être plus forts et ils s'imaginent avoir bien travaillé.

Les Indiens des Andes appartiennent à la branche mongoloïde de la race humaine. Le seul autre peuple du monde qui ait montré cette même remarquable faculté d'adaptation au climat des hautes altitudes est le peuple du haut Himalaya, lui aussi d'origine mongoloïde. Les Mongoloïdes forment un groupe apparu au cours d'un des derniers âges glaciaires au nord-est de l'Asie, il y a quelque 360 000 années; en essayant de survivre aux vents élevés et aux basses températures, ils sont parvenus à un degré particulièrement élevé de résistance au froid. Leur corps lui-même tend à être court et arrondi et leurs extrémités, courtes elles aussi, présentent un minimum de surface à la perte de chaleur. Leur nez, leur front sont aplatis, leurs pommettes sont larges et plates également. Au-dessus de leurs yeux, pendant comme une contre-fenêtre devant la paupière supérieure lorsque l'œil est ouvert, se développe un repli épithélial graisseux qui aide à préserver le globe oculaire du gel.

Tout ceci constitua jadis un masque idéal pour protéger les yeux, le nez et les sinus contre le froid glacé des temps passés. Lorsque la glaciation s'atténua, certains Mongoloïdes émigrèrent vers le nord et l'est, par-delà le détroit de Béring, pour devenir les ancêtres des Indiens des Andes et des Indiens d'Amérique. Les autres se répandirent au sud, dans les neiges himalayennes.

Que ce soit dans l'Himalaya ou dans les Andes, les peuples mongoloïdes se sont, de toute évidence, parfaitement adaptés à la vie en Montagne, et cela explique parfaitement pourquoi ils y vivent maintenant. Mais cela n'explique pas pourquoi ils s'y installèrent à l'origine. Pour répondre à cette question, il nous faut nous tourner vers la troisième influence essentielle qui modela la vie de l'homme en Montagne : l'isolement, inséparable de la vie en altitude.

Il semble évident que l'homme primitif n'a choisi la haute Montagne que lorsqu'il s'y trouva acculé par la nécessité, par la faim ou par la peur. Vues de loin, les Montagnes ont dû paraître le domaine de frayeurs insurmontables, celle des loups, du froid, de la famine et des démons. Cependant, ces craintes mêmes, dues au terrain et au climat, tendent à isoler les Montagnes des plaines et à créer là une sorte de sanctuaire géographique. Le Tibet est ce que les anthropologistes appellent un refuge. Ce qui veut dire qu'il est vraisemblable que les ancêtres des Tibétains actuels s'y soient installés primitivement non parce que l'endroit les séduisait mais parce qu'ils espéraient trouver dans l'éloignement de ces forteresses montagneuses la sécurité qu'ils n'avaient pas été capables de s'assurer ailleurs.

C'est ce qui se produisit. Entouré de Montagnes, le Tibet est un gigantesque plateau inhospitalier, dont la superficie est approximativement égale au sixième de celle des états continentaux des États-Unis d'Amérique. Son altitude moyenne est de 4 500 mètres et Gartok, à 4 600 mètres d'altitude, dans la partie nord du pays, est le centre d'habitation le plus haut du monde. Non contents de pareilles barrières pour les protéger, les Tibétains ont préservé leur isolement par tous les moyens humainement concevables jusqu'à ce que leur capitale, Lhassa (altitude 3 680 mètres), devînt « la ville interdite ». Ils tentèrent d'en éloigner tous ceux qui appartenaient au monde extérieur et, jusqu'à la conquête du Tibet par la Chine communiste, en 1951, ils y réussirent assez bien. Ils résistèrent aux idées et aux conceptions nouvelles. Et, conformément à ce qui semble être un trait des sociétés de haute altitude (les Andes produisirent les

Incas, l'état montagnard arabe du Yémen est encore gouverné par un Iman), ils construisirent une théocratie. Le Tibet était une espèce d'état bouddhiste où un homme sur trois était moine et où le dalaï-lama, dieu-roi, disposait sur le spirituel et le temporel de l'autorité suprême. Même la théologie est modelée par le climat de montagne : l'enfer du bouddhisme tibétain est un endroit froid.

La clef de l'existence des peuples du haut plateau tibétain est un animal hirsute au mauvais caractère, parent du buffle, le yak. Pour ce qui est de la diversité des usages, le yak, en tant qu'ami de l'homme en haute altitude, bat le lama lui-même. On ne trait pas un lama. Mais le yak fournit la viande, la laine, le lait, le beurre et un moyen de transport. Les paysans tibétains passent leur vie en solitaires, à conduire leurs troupeaux de yaks d'un pâturage à l'autre. Pendant une année parfois, éloignés de tout village, ils vivent dans des tentes transportables faites de poils de yak, où la chaleur est entretenue par un feu de bouse de yak. Comme dans les Andes, ceux qui restent dans les vallées et travaillent aux champs, le font essentiellement au bénéfice de quelques autres. Leurs pauvres champs produisent de l'orge, quelques pois et parfois des pommes de terre. Les hommes vivent dans des huttes faites de briques séchées au soleil, aux toits plats en terre et dont les poutres ont été laborieusement traînées à flanc de Montagne depuis les forêts du Népal ou de Chine. Les hommes, parmi leurs troupeaux, s'absentent pour de si longues périodes, qu'ils sont souvent plusieurs à partager la même femme. Par ailleurs, celles-ci jouissent d'une liberté similaire. Elles peuvent avoir, et souvent ont, plusieurs maris. En fait, lorsqu'elle se marie, la Tibétaine épouse un homme mais aussi ses frères.

Pour des bouddhistes si dévotement fidèles, qui éprouvent des scrupules religieux à manger de la viande, les peuples montagnards du haut Tibet et de l'Himalaya suivent un étrange régime. Dans la mesure où ils en ont, ils mangent de la viande - de la viande de yak. Le beurre fait avec le lait du yak est également de prime importance. Loyer et impôts se paient en beurre de yak. On fait, sous forme de beurre également, de pieux présents aux lamas et aux moines. A l'occasion de grandes fêtes, on promène en procession des statues sculptées dans du beurre La boisson nationale est le thé au beurre, c'est-à-dire du thé additionné de beurre rance. Les gens en boivent 30 à 50 tasses par jour et s'inquiètent de leur santé si ce nombre diminue. Les visiteurs trouvent ce breuvage intolérablement gras mais il ajoute des lipides au régime du Tibétain et le fortifie contre les tempêtes himalayennes. Bien que les Tibétains mangent aussi de l'orge grillée, ils ne sont pas vraiment des cultivateurs, comme les Indiens des Andes. Peuple pastoral, 1,5 million d'entre eux occupent un territoire infiniment plus grand que les hautes terres des Andes centrales où quatre fois plus de Péruviens et d'Indiens boliviens font pousser leur récolte et gardent leurs troupeaux.

Les Tibétains et les autres peuples du haut Himalaya ne sont pas les seuls a avoir tiré avantage du refuge qu'offraient les Montagnes. Partout les peuples vaincus ont fui leurs riches plaines devant les conquérants et ils se sont installés dans des forteresses où nul n'irait contester leur droit sur une terre si peu favorisée et si dure à atteindre. Les Montagnes de l'Atlas, en Afrique du Nord, sont un sanctuaire pour les tribus berbères qui y cherchèrent un abri, il y a douze siècles, devant l'invasion des hordes musulmanes. Dans le bassin méditerranéen, qui semble avoir connu un assèchement progressif à la fin de la dernière glaciation, les vallées de Montagne à proximité des sommets encore arrosés par les pluies, ont peut-être été également un refuge pour l'homme contre l'envahisseur naturel des basses terres : la sécheresse. Le Liban, bastion chrétien et pays de haute altitude, à la frontière orientale de la Méditerranée, semble être pour son peuple un sanctuaire en pleine Montagne, à la fois contre ses ennemis humains et naturels.

Au cours des âges, la peur du terrain accidenté et du climat a eu tendance à isoler les Alpes, les Pyrénées, le Caucase, l'Apennin et d'autres Montagnes célèbres du continent européen. Là, les peuples se trouvaient relativement à l'abri de l'invasion. Il ne s'y exerçait aucune compétition humaine. Les étroits accès de ces forteresses naturelles étaient et sont aisément gardés, les passages élevés étant favorables aux embuscades. Derrière de tels remparts, le goût de la liberté s'épanouit — chez les brigands comme chez les citoyens honnêtes.

Les Montagnes sont des lieux propices à la naissance des nations. Les montagnards suisses furent les premiers à avoir leur gouvernement propre dans l'Europe moderne lorsqu'ils constituèrent la Confédération suisse en 1291. Le peuple de l'Andorre, dans les Pyrénées, entre la France et l'Espagne, a conservé ses coutumes et l'indépendance de sa petite république au cours des siècles et il se tire encore fort bien d'affaire grâce à la contrebande. C'est aussi l'histoire de la plus petite république du monde, la république de Saint-Marin, vieille de mille cinq cents ans, perchée avantageusement au centre des Apennins, en Italie. Le groupe, qui vit dans les Appalaches, au sud des États-Unis, a préservé partiellement son archaïque façon de vivre, et même son archaïque façon de parler. Il imprime des tracts illicites, entretient des inimitiés particulières et fournit à l'armée des États-Unis certains de ses plus brillants tireurs. Les montagnards sont toujours des hommes libres, telle est la devise officielle de la Virginie occidentale.

Mais ces hommes ne sont plus dans le courant de la vie car, si les Montagnes éloignent les intrus, elles maintiennent aussi les hommes qui l'habitent dans l'isolement. Comme un prisonnier dans sa cellule, l'homme de la montagne n'apprend que partiellement et avec beaucoup de retard les innovations de la race humaine. Les sociétés de montagnes ne sont pas de celles qui tendent à innover ou à s'agiter pour changer. Au contraire, elles aiment souvent les reliques : tel Rip van Winkles. Jusqu'au XXe siècle, une obscure tribu du Caucase, celle des Khevsours, a porté une armure datant des croisades. On prétend qu'il existe des tribus indiennes vivant dans des Montagnes éloignées, dans le Sud-Est du Mexique, qui ignorent encore que le pays a conquis sa liberté sur l'Espagne et même que les Espagnols l'ont jamais soumis.

DE tout cela, nous pouvons déduire que l'isolement imposé par la Montagne à ceux qui y vivent est aussi puissant que les deux autres grands facteurs géographiques : le terrain et le climat. Ces influences se résument en un seul mot : le milieu. Cependant, lorsque nous constatons à quel point l'homme s'est adapté à mille combinaisons différentes de ces trois variables, il semble évident que sa nature pleine de ressources est aussi riche que l'histoire de la Montagne. L'homme est l'animal le plus apte à s'adapter sur cette terre. Cette faculté d'adaptation lui permet d'aller presque partout où il le désire, et ajoute la déconcertante dimension de la motivation humaine à l'histoire de l'homme et des Montagnes.

Ce facteur humain conduit à poser des questions plus qu'à y répondre. Existe-t-il une nécessité intérieure tout autant qu'une nécessité extérieure qui pousse les montagnards à s'installer là où ils sont ? Pourquoi, dans un pays, certains peuples se réfugient-ils dans les Montagnes et pas dans un autre ? Pourquoi, par exemple, les peuples civilisés du Sud-Est asiatique ont-ils toujours manifesté une tenace hostilité à la vie en Montagne ? Bien que les Anglais aient démontré par leurs plantations de thé des hauts plateaux d'Assam que la Montagne peut être colonisée et exploitée avec profit, les peuples de cette région ont laissé avec persistance les sommets aux survivants des primitifs qu'ils ont évincés. Inversement, pour-

ANIMAL A MULTIPLES USAGES, le yak subvient à tous les besoins de la vie humaine dans les hauts plateaux du Tibet. Il est le bovin domestiqué du lieu, et peut être sellé comme l'indique le dessin ci-dessus. Il fournit son pelage pour les vêtements, son cuir pour les tentes, sa bouse pour le combustible, et son lait et sa chair constituent l'alimentation essentielle des Tibétains.

quoi, lorsque la vie dans les régions montagneuses d'Europe est plus ardue que dans les basses terres, des montagnards demeurent-ils en altitude plutôt que de redescendre ? Est-ce quelque aveuglement de termite, quelque absence d'initiative élémentaire, quelque besoin obstiné qui les maintient là-haut ? A cette dernière question, on peut du moins répondre : certains ne sont pas des peuples de montagne par goût délibéré; beaucoup trop absorbés par les problèmes de leur existence quotidienne, ils n'ont pas le temps de penser à comparer leur sort à une éventuelle existence dans la plaine.

Le peuplement des Montagnes ne suit aucune logique et les accidents qui expliqueraient probablement ce qui s'est passé se perdent dans la nuit de l'histoire et de la préhistoire. La géographie humaine est un crible. Les savants peuvent mesurer d'anciens crânes et ils peuvent mesurer de même la vie. Ils peuvent étudier la fréquence à laquelle des individus d'un certain type sanguin apparaissent dans certaines parties du monde. Ils peuvent analyser la mystérieuse parenté des langages des hommes. Parfois, les peuples de montagne nous fournissent quelques indices par leur présence en certaines régions. Mais comment, par exemple, comment pouvons-nous expliquer que les Basques, qui vécurent dans les Pyrénées, aient pu préserver au long des siècles un langage totalement différent de celui de leurs voisins ou des autres peuples de la terre ?

CE sont là des questions qui touchent à une autre plus essentielle et plus difficile : comment l'homme primitif en général s'est-il réparti sur le globe ? Nous n'en savons presque rien parce que les savants ne sont pas encore sûrs de l'endroit où l'homme eut son origine. Le nombre croissant de crânes primitifs trouvés récemment et l'étude intensive consacrée à leur classification commence à jeter quelque lumière sur cette question passionnante, et des preuves récentes laissent supposer que l'Afrique a peut-être été le berceau de l'Homo sapiens. Si oui, il gagna l'Asie au cours du dernier million d'années, probablement entre les périodes de glaciation, se faufilant entre le Caucase et l'Oural. Et ces hommes qui pénétrèrent derrière l'Himalaya, bien qu'ils se soient trouvés emprisonnés plus tard derrière des couches de glace et qu'ils soient devenus ce que nous appelons maintenant la race mongoloïde, appartenaient peut-être à l'origine au même peuple que ceux que nous qualifions maintenant de race caucasienne. On aboutira peut-être à une explication totalement différente quant à la distribution primitive de ces deux grandes races humaines et à leurs différenciations subséquentes, mais il est hors de doute que les Montagnes les ont maintenues séparées pendant très longtemps et qu'elles ont aidé à créer les différences existant aujourd'hui entre elles. Les deux grandes autres races humaines ne furent apparamment pas séparées par la Montagne. Les Noirs d'Afrique ont probablement été arrêtés par la barrière qu'est le désert du Sahara et les aborigènes d'Australie par l'océan, qui se suréleva et coupa leur continent de l'Asie après qu'ils s'y furent aventurés.

Les hommes ne traversent pas les Montagnes par plaisir. Pèlerins, marchands, tribus d'émigrants et armées d'envahisseurs tendent tous à prendre le chemin de la plaine. La piste la plus anciennement connue en Europe est la Piste de l'Ambre, ainsi dénommée pour rappeler l'objet autrefois si précieux que les hommes de l'âge de pierre devaient échanger contre les produits des peuples méditerranéens plus évolués. Pendant des milliers d'années, les hommes ont suivi cette route vers le sud, qui, depuis la Baltique — on trouvait de l'ambre sur ses plages — passait entre les Montagnes de Bohême et les Carpates formant actuellement la frontière nord de la Tchécoslovaquie, puis traversait le Danube à Vienne et enfin l'un ou l'autre des cols yougoslaves de basse altitude pour atteindre la Méditerranée.

La trouée des Carpates qu'empruntait cette piste a fait l'objet de maintes batailles au cours de l'histoire de l'Europe. En 1805, Napoléon remporta la

DES PASSAGES INSCRITS DANS L'HISTOIRE

AMÉRIQUE

Défilé de Cumberland (480 mètres)
Passage vers l'Ouest dans les Appalaches sur le «Chemin du Désert» de Daniel Boone.

Col du Donner (2 140 mètres)
Dans la Sierra Nevada occidentale vers le nord de la Californie.

Col de Loveland (3 600 mètres)
Dans les Montagnes Rocheuses, des Grandes Plaines aux hauts pâturages.

Col Sud (2 300 mètres)
Dans les Montagnes Rocheuses sur la Piste de l'Oregon vers le nord-ouest.

EUROPE

Roncevaux (1 057 mètres)
Dans les Pyrénées occidentales de France en Espagne.

Trouée de Belfort (340 mètres)
Entre les Vosges et le Jura de France en Allemagne.

Col du Grand Saint-Bernard (2 473 m)
Route des Alpes prise par Napoléon de Suisse en Italie en 1800.

Col du Saint-Gothard (2 112 mètres)
Dans les Alpes centrales de Suisse en Italie.

Col du Brenner (1 370 mètres)
Dans les Alpes, d'Autriche en Italie : la route d'invasion des Goths.

Les Thermopyles (au niveau de la mer)
Dans le monde antique, seul passage entre la Thessalie et la Grèce du Sud.

ASIE

Passe de Bamian (2 600 mètres)
Dans l'Hindou-Kouch d'Iran et d'Asie centrale en Afghanistan.

Passe de Khaïbar (1 030 mètres)
Dans les contreforts de l'Hindou-Kouch d'Afghanistan au Pakistan.

La porte de Kalgan (2 200 mètres)
Dans le Yin-Chan de Mongolie en Chine : une porte dans la Grande Muraille.

bataille décidant de sa suprématie sur le continent en écrasant les armées autrichiennes et russes réunies à Austerlitz, près de la Piste de l'Ambre, en Bohême. L'Autriche, qui se trouve sur la Piste, est ce que les géographes appellent un état de passage. Outre cette ancienne piste nord-sud, l'Autriche est traversée d'est en ouest par une route naturelle qui commence en Europe orientale, coupe les Alpes de Transylvanie à la Porte de Fer du Danube, et continue au-delà de Vienne entre les Alpes et les Montagnes de Bohême jusqu'en Allemagne du Sud.

De telles trouées ou de tels seuils naturels ont joué un rôle considérable dans la colonisation des États-Unis, en particulier la Trouée de Cumberland. C'est par elle que les familles pionnières des états de Caroline et de Virginie partirent vers l'Ouest avec leurs chariots. Par cette trouée, passait aussi le célèbre Chemin du Désert que Daniel Boone, John Sevier, le grand-père d'Abraham Lincoln, et d'autres empruntèrent pour coloniser l'état du Kentucky. De même, la vallée du Mohawk était presque une route à fleur d'eau vers les Grands Lacs, entre les Catskills et les Adirondacks. Le canal Erié y fut construit et, à l'aube de l'âge industriel, les voies ferrées en bénéficièrent. La circulation des hommes et des marchandises s'établit entre l'Europe et le Nouvel Occident, via New York et la trouée de Mohawk, au lieu de suivre la route du Mississippi via la Nouvelle-Orléans. Sans aucun doute, la trouée de Mohawk a aidé New York à devenir la première ville des États-Unis. Plus tard, des Américains, allant toujours plus à l'Ouest, découvrirent une autre porte naturelle dans les Montagnes Rocheuses, au sud du Wyoming. Ce fut la fameuse trouée du sud où des chariots couverts purent passer la ligne de partage du continent, que ce fût à destination du nord-ouest par la piste de l'Oregon, ou de la Californie par les cols du Donner ou de Truckee. Le géographe américain William Gilpin, considérant la trouée sud comme la porte du monde atlantique et pacifique, suggéra, plein d'enthousiasme, aux environs de 1860, qu'on l'appelât : les Colonnes de Washington, et prédit que Denver, ville commandant son accès, deviendrait inévitablement le pivot du continent.

Les trouées font l'histoire et la légende. Annibal, Attila et Napoléon, tous conquirent la gloire en traversant audacieusement les cols élevés des Alpes. Il est possible que l'action la plus fantastique de l'histoire fut, en 480 avant Jésus-Christ, le combat au cours duquel Léonidas et 300 Grecs se firent tuer jusqu'au dernier par les Perses pour garder l'étroit défilé des Thermopyles et donner ainsi le temps à la flotte grecque de se rallier et de mettre fin à la menace d'invasion par la destruction de la flotte ennemie.

Une autre histoire célèbre le courage des arrière-gardes dans la médiévale Chanson de Roland. Récitée par les Croisés, chantée par les Bardes aux guerriers normands partant pour la bataille d'Hastings en 1066, et toujours familière aux écoliers d'Occident, elle nous rapporte la mort du chevaleresque neveu de Charlemagne combattant contre les hordes sarrasines, au col de Roncevaux, dans les Pyrénées. Loin d'être une victoire glorieuse contre les Infidèles, Roncevaux fut le pire échec de la carrière militaire de l'empereur. Vaincu par l'indifférence des populations chrétiennes du Nord de l'Espagne dans la tentative qu'il fit pour étendre sa domination au-delà des Pyrénées, Charlemagne reconduisait ses armées par la Montagne lorsque les rangs francs de l'arrière-garde tombèrent dans une embuscade.

Les Francs n'avaient même pas pris la précaution de reconnaître sur les hauteurs si le passage était libre. Sous les ordres du comte Hruotland de Bretagne, ils combattirent sous leur lourde armure dans l'étroite piste forestière. Les montagnards, apparemment parfaitement libres de leurs mouvements, les tuèrent jusqu'au dernier. Trop fier pour appeler à l'aide, Hruotland, ou Roland, attendit pour sonner du cor. Trop tard ! Charlemagne, à son arrivée, ne trouva que des corps dépouillés et des chariots vides. Les assaillants avaient disparu dans la

Montagne. Qui étaient-ils ? Pas même des musulmans mais des chrétiens, des guérilleros qui avaient frappé avec audace parce qu'ils étaient sûrs que les Francs ne reviendraient pas. Ils ne revinrent en effet jamais. A dater de ce jour, les Pyrénées devinrent la frontière sud de l'empire de Charlemagne et elles le sont toujours restées depuis.

En conduisant ses armées dans une embuscade de Montagne, Charlemagne ignora l'exemple instructif d'un précédent conquérant : Alexandre le Grand qui, marchant vers l'est pour étendre son empire, en 327 avant Jésus-Christ, avait eu la sagesse de ne pas emprunter la route de la passe de Khaïbar, passage historique des invasions vers l'Inde mais aussi sentier de guerre des féroces combattants montagnards. Décrivant un cercle vers le nord, au pied des sommets déchiquetés de l'Hindou-Kouch, à 5 500 mètres d'altitude, Alexandre avait déferlé sur l'Inde par la vallée de l'un des affluents de l'Indus, descendant du nord.

Une sorte de frontière naturelle gouverne la guerre entre gens des montagnes et gens des plaines. Lorsque François Pizarre conduisit ses conquistadores espagnols aux Andes, on croit qu'il appuya toute sa campagne sur cette frontière physiologique. Par la ruse, le lendemain du jour où il eut atteint les régions de haute altitude, il s'empara de l'empereur Inca qu'il garda en otage, puis il alla s'installer à Cajamarca, en bas, pour s'habituer à la vie en montagne avant de marcher sur Cuzco, la capitale. Lorsque la Bolivie et le Paraguay firent la guerre du Chaco, dans les années 30, les montagnards boliviens étaient vaincus d'avance dans les marécages des basses terres. Ils tombèrent tous malades. Mais, lorsque les Paraguayens essayèrent de porter le combat dans la Montagne, ses rigueurs furent intolérables aux combattants de la jungle et ce fut leur tour de tomber.

L ES Montagnes ont toujours représenté pour l'homme un élément surnaturel. Jadis, ils croyaient que les sommets empêchaient le ciel de tomber. Pour les premiers Grecs, les Colonnes d'Hercule, se dressant de part et d'autre du détroit de Gibraltar, soutenaient cette portion de l'univers. Les anciens Chinois identifiaient cinq Montagnes : Heng Chan au nord, Sun Chan au centre, Hua Chan à l'ouest, Heng Chan au sud et Tai Chan à l'est, comme étant les attributs du ciel. Selon une légende, un dragon aux joues rouges nommé Kung Kung s'était un jour précipité vers Heng Chan, au nord, et avait frappé le dais céleste sur le côté provoquant une inclinaison du globe vers le sud-est et de grandes inondations.

Les Montagnes annoncent le silence et l'éloquence de la nature. Elles obligent l'homme à lever la tête et à ressentir la proximité des cieux. Les lieux saints sont tous élevés. Moïse reçut les Dix Commandements sur le Mont Sinaï, Bouddha naquit à l'ombre de l'Himalaya, de grands monastères — le Potala à Lhassa, l'hospice du Saint-Bernard, les cloîtres du Mont Athos — sont situés en haute Montagne. Le Lotus doré que le créateur hindou Vichnou dressa sur la voûte céleste avait pour pétales les sommets de l'Himalaya et, de son cœur, coulait une rivière saturée de Sainteté, le Gange sacré. Le prophète Ezéchiel plaçait le paradis terrestre sur une haute Montagne d'où coulaient des eaux vives. Les Grecs situèrent leur panthéon, la demeure de leurs dieux, sur le Mont Olympe, tant chanté par Homère : « Nul vent ne le secoue, nulle pluie ne le mouille, nulle neige ne le recouvre, il s'élève dans une mer d'air limpide et sans nuage, nimbée d'un éclat blanc. C'est là que les dieux heureux vivent des jours exquis... »

Au cours de ces dix dernières années, l'homme lui-même s'est aventuré sur le plus haut de ces sommets. Mais les cimes l'emplissent toujours de crainte et lui donnent une sensation de mystère. Les paroles du psalmiste David continuent d'avoir des échos dans le cœur des hommes : « Je lève mes yeux vers les montagnes d'où me viendra le secours ».

Une croix de pierre, mémorial élevé aux victimes d'un glissement de terrain dans les Andes, sert aussi de talisman contre le retour d'un pareil désastre.

Des hommes de la montagne

Les hommes qui vivent le plus haut sur terre, les peuples de l'Himalaya et des Andes, sont uniquement adaptés à la haute altitude. Leur corps peut supporter un froid extrême et une grave raréfaction d'oxygène tout en étant apte aux durs travaux. Les défis que pose la Montagne ont aussi encouragé chez ces rudes hommes de solides sentiments religieux.

Les peuples des Andes

L'Indien des Andes est une espèce de surhomme sans aucun privilège. Mal nourri, fournissant un travail intensif, il est devenu une des merveilles physiques du monde, en s'étant uniquement adapté aux terribles conditions de la vie en altitude. Sur le plateau d'Altiplano, à 3 900 mètres, la pression de l'air est approximativement la moitié de ce qu'elle est au niveau de la mer et, pendant la plus grande partie de l'année, la température tombe chaque jour au-dessous de 0°. Pour résoudre le problème de l'air raréfié, l'Indien a développé une paire de poumons de grande taille dans une large poitrine et son sang et ses tissus font un usage très efficace de l'oxygène. Pour résister au froid, des générations de mutations, en voie d'adaptation, ont donné aux

UNE BOLIVIENNE AUX DOIGTS HABILES, coiffée d'un coquin chapeau melon, démêle de la laine de guanaco avant de l'embobiner sur un fuseau. Elle porte le tout accroché à son poignet, ce qui lui permet de garder les mains libres pour filer pendant ses loisirs, entre les soins à donner au bébé qu'elle porte sur son dos et la préparation du *chuño*.

POUR PRÉPARER LE CHUÑO, purée de pommes de terre séchées et nourriture de base des Indiens des Andes, les femmes ôtent la peau de milliers de tubercules de la grosseur d'une bille *(à droite)*. Les pommes de terre sont ensuite foulées aux pieds et séchées. D'une conservation indéfinie, le *chuño* se mélange à de très nombreux plats.

Indiens, des bras, des jambes et un buste courts afin que son sang ait une moindre distance à parcourir. Les très nombreux capillaires qui réchauffent ses extrémités lui permettent de marcher sans ennui, pieds nus dans la neige.

Mais, malgré son adaptation physique à la haute altitude, l'Indien y connaît une rude existence. Bien que ses ancêtres Incas aient régné jadis sur l'Altiplano, il est maintenant exploité de façon tragique. Cultivateur à bail, il ne travaille que pour avoir le droit de faire pousser sa propre récolte. Son régime est invariable : haricots, pommes de terre, quinoa, et — rarement — un peu de mouton. La dysenterie et la coqueluche lui ôtent beaucoup de ses enfants et lui-même ne vit pas longtemps.

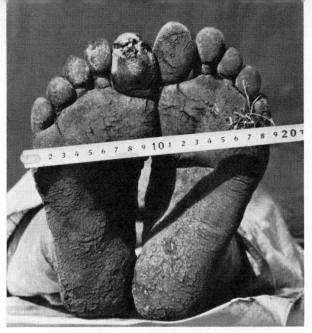

LES LARGES PIEDS déformés d'un homme de la montagne sont si bien pourvus en vaisseaux sanguins qu'ils sont presque immunisés contre le froid. Cet homme se promène pieds nus dans la neige.

CES OUVRIERS AGRICOLES INDIENS plient sous le poids de gigantesques chargements de pommes de terre... à 3 500 mètres d'altitude, dans les Andes péruviennes. Odieusement exploités, ces hommes commencent à travailler dès l'enfance pour 3 francs par jour. Au fur et à mesure qu'ils grandissent et qu'ils deviennent assez forts pour supporter une plus lourde charge, leur salaire augmente, calculé au nombre de sacs, mais il est bien rare que le revenu annuel par tête dépasse 325 francs.

Labeur et coca

Le visage étonné, à demi songeur, dont les yeux se lèvent vers la caméra sur la page ci-contre, est celui d'un Indien des Andes sous l'influence de la cocaïne. Comme des millions d'hommes et de femmes de sa race, il en est devenu l'esclave en mâchant chaque jour quelques feuilles de coca.

La prédominance de cette habitude pose un problème épineux aux gouvernements sud-américains. Le Pérou a essayé de diminuer la production de coca et d'en limiter l'usage mais sans grand succès. L'Indien ne veut pas y renoncer. Connaissant la faim et un labeur épuisant toute sa vie, il mâche pour engourdir ses sens. Cela réduit beaucoup son potentiel de rendement, mais, sans cette drogue, il est déprimé et se refuse à tout travail. Bien que cette habitude abrège probablement sa vie (la plupart des Indiens ne vivent pas au-delà de 40 ans), le coca est pour lui si important qu'il en a fait un objet de vénération et il croit qu'il lui a été donné par Dieu par le truchement de ses ancêtres, les Incas.

UN MINEUR grisé par le coca (ci-contre) quitte en trébuchant une mine de plomb péruvienne avec son lourd chargement de minerai. Son salaire pour une journée de travail s'élève à 6 francs environ.

LA RÉCOLTE DU COCA. Les femmes cueillent les plantes dans une ferme bolivienne. En paiement, le propriétaire laisse à ses ouvrières un peu de terrain pour la culture de leur propre coca

Pratiquement intact, ce mur de pierre de l'époque des Incas a été incorporé à une construction moderne de Cuzco, au Pérou.

LES RUINES d'une ville Inca se dressent, oubliées, dans les Montagnes du Pérou. Bien que simples et sobrement meublées, ces demeures abritèrent les grands chefs du gouvernement Inca.

Un empire perdu dans les hautes Andes

Les peuples des Montagnes n'ont été que rarement des conquérants. Le terrain montagneux rend les campagnes militaires difficiles; en outre, la lutte essentielle pour la vie en haute altitude consume tout surplus d'énergie. Les Incas furent une exception; au XIIIe siècle, ils constituèrent un empire s'étendant de l'Équateur à l'Argentine.

Le secret de leur succès fut un socialisme brutal ressemblant au communisme contemporain. Dirigé par une divinité terrestre, l'Inca, l'état était propriétaire de tous les biens, les besoins de chacun étant satisfaits par une vaste bureaucratie. Utilisant le travail des esclaves, ils construisirent au sommet des Montagnes des villes de pierre admirablement édifiées *(à gauche)* et des centaines de kilomètres de routes pavées; enfin ils pratiquèrent la culture en terrasses *(ci-contre)*. Les Incas furent vaincus en 1532 par un conquérant aussi impitoyable qu'eux : l'Espagnol Pizarre.

L'ESCALIER DES CULTURES en terrasses construit par les Incas s'accroche à un sommet des Andes. Aujourd'hui, les Indiens continuent d'utiliser ces terrasses pour y cultiver des pommes de terre.

UNE PÊCHE formidable de poissons bleu argent sèche près du lac Titicaca, au Pérou. Après avoir repéré un banc de poissons, les Indiens battent l'eau derrière lui afin de le diriger vers les filets.

CES ANTIQUES BATEAUX de roseaux, appelés « petits chevaux » datent des temps pré-Incas. Bons à tous les usages, les roseaux sont utilisés pour la confection des toits, des portes, des lits et même des maisons.

POUR BROYER le blé, un enfant indien utilise une méthode datant de l'âge de pierre *(à droite)*. Il roule une meule sur les grains, les réduisant en poudre sur sa table de roc.

Les peuples himalayens

Le travail est rude et les riches sont rares en Himalaya mais, pour l'habitant moyen, la vie y est plus douce que dans les Andes. Ni le nomade tibétain, conducteur de troupeaux, ni le fermier népalais cultivant son sol en terrasses ne manquent des produits de première nécessité, de nourriture ou de vêtement. Au Tibet, l'extraordinaire yak, à la fois source de laine, de cuir, de viande, de lait et de fromage, moyen de transport, combustible et engrais grâce à sa bouse, répond à tous les besoins. Il n'est pas inhabituel pour un homme de posséder un troupeau de 200 yaks ou plus.

Sur les pentes abruptes du versant sud de l'Himalaya, l'élevage est impraticable, c'est pourquoi les indigènes sont essentiellement des cultivateurs. Une grande pluviosité aide à compenser la pauvreté du sol et chaque pouce de terrain est cultivé; les récoltes varient suivant l'altitude. Dans les basses terres, relativement luxuriantes *(ci-contre)*, on récolte parfois jusqu'à trois moissons de maïs ou de riz. Dans les terres plus froides *(ci-dessous)*, on cultive la pomme de terre et le blé.

POUR REMPLIR ses marmites, une Népalaise tire de l'eau d'une outre en cuir. Généralement faites en peau de yak ou de buffle, ces outres servent aussi à conserver le chang, bière à base d'orge.

DES TERRASSES SANS FIN découpent une abrupte vallée du Népal. Cultivées à la main (la charrue est presque inconnue), ces bandes constituent l'essentiel de la terre arable du Népal.

CES FEMMES SHERPAS manient des houes primitives dans les hautes terres du Népal. Produit sherpa, introduit par les Anglais en 1850, les pommes de terre viennent bien dans ce climat froid.

CETTE SÉDUISANTE jeune fille des montagnes, d'une tribu musulmane de Baltistan, au Cachemire, écarte son voile avec une audace inhabituelle. D'ordinaire, les femmes de cette province cachent leur visage lorsqu'elles sont abordées par des étrangers. A l'inverse des femmes du Tibet voisin, qui souvent ont plusieurs maris, les femmes du Cachemire sont encore traitées comme des esclaves.

L'ARMÉE archaïque du Bhoutan, minuscule royaume himalayen situé entre l'Inde et le Tibet, défile sous son armure du XVᵉ siècle. Ces troupes savent porter un fusil, mais arcs et flèches sont encore couramment employés Bien que sous-développé sur le plan technique, le Bhoutan est moderne à d'autres égards. L'esclavage a été aboli et les femmes ont des droits égaux à ceux des hommes.

A Lhassa, capitale du Tibet, le « Potala » aux mille chambres fut le palais du dalaï-lama avant que la Chine rouge ne s'en fût emparé.

Les multiples croyances des gens de la montagne

L'intense préoccupation des gens de la montagne en matière de religion n'est nulle part plus marquée que dans l'Himalaya. Avant d'être annexé par la Chine rouge, le Tibet lamaïste était, depuis toujours, gouverné par un chef religieux, le dalaï-lama. Un homme sur trois étant moine, une partie de sa vie au moins, le pays était peuplé de monastères, certains comptant jusqu'à 7 000 membres. Parallèlement à leur dévotion à Bouddha, les Tibétains apaisent également une multitude d'esprits mauvais, qui, croient-ils, infestent l'air qui les entoure.

Au Népal, l'hindouisme et le bouddhisme prospèrent de concert, et nombreux sont ceux qui embrassent les deux fois. Cela a donné naissance à une religion incroyablement compliquée et amalgamée, étrangement tolérante à l'égard de tous les dieux et cependant exigeante dans ses demandes aux fidèles.

DÉESSE DU SACRIFICE, Kali, divinité hindoue *(ci-contre)*, regarde méchamment Katmandou, au Népal. Chaque année les Népalais apaisent Kali en barbouillant son idole de sang de chèvre.

CE LAMA AU VISAGE SÉVÈRE est un grand prêtre lamaïste du Bhoutan. Comme beaucoup d'Himalayens, il est atteint d'un goitre, considéré pendant longtemps comme dû à un manque d'iode dans l'organisme.

Les saints hommes du lamaïsme

Vivant dans le pays le plus élevé du monde, les Tibétains sont, fort à propos, le peuple de montagne le plus profondément attaché aux choses de l'esprit. La plus haute vocation au Tibet est celle de moine et de lama. Une longue échelle de promotions toutefois attend le novice dans sa carrière religieuse. Au sommet, le dalaï-lama, incarnation de dieu, est chef du lamaïsme tibétain, bien que le pays soit aux mains de la Chine rouge et le dalaï-lama lui-même en exil.

Au bas de l'échelle se situe le modeste moine pour lequel un pareil statut ne peut être que l'aboutissement de cinquante années de préparation dans les monastères. Cette préparation consiste en une étude intense des écritures bouddhiste et tibétaine et un entraînement à la discussion. Les classes, qui durent toute la journée, ne sont interrompues que pour chanter des psaumes et boire du thé. Au terme de sa carrière, un moine fortuné peut s'élever du rang d'étudiant à celui de professeur, puis chef de monastère, et un jour il pourra devenir Gan-Dan Khri-Pa. Il sera alors, lui aussi, Dieu vivant.

DEUX DIEUX VIVANTS, piliers du lamaïsme tibétain, le dalaï-lama *(à gauche)* et le panchen-lama. Aujourd'hui, le premier est en exil, le second est devenu un chef rouge.

UNE RÉUNION de moines dans un monastère du Tibet pré-communiste *(à droite)*. Pour discréditer le lamaïsme, les Chinois rouges ont obligé les congrégations à se disperser.

7

L'appel
des sommets

De tous les grands événements de l'année 1492, il en est un qui reste essentiellement gravé dans le souvenir des alpinistes passionnés. Au cours de cette année historique, Antoine de Ville, chambellan du roi de France Charles VIII, obéit à l'ordre donné par Sa Majesté et conduisit un groupe d'ascensionnistes au sommet du Mont Aiguille. Ce sommet, dans les Alpes du Dauphiné, près de Grenoble, avait la réputation d'être une « Montagne inaccessible ». De Ville prouva courageusement qu'il en était autrement. Il passa même trois jours sur la cime avant de redescendre rédiger un « compte rendu détaillé, complet et précis » de cette première tentative connue des hommes : gravir une Montagne importante dans le seul but d'atteindre son sommet.

Le premier accès de véritable enthousiasme pour l'alpinisme date du milieu du XVIe siècle et rien moins que Léonard de Vinci en fut l'un des promoteurs en faisant l'ascension des pentes sud de la chaîne Pennine. Le mouvement eut son centre à Zurich et son chef, Conrad Gesner, naturaliste éminent, résolut d'effectuer, pour le « seul plaisir de l'esprit », une ascension au moins chaque année. Cet enthousiasme s'apaisa toutefois, et la seconde expédition connue n'eut lieu apparemment qu'au milieu du siècle suivant, en Amérique. L'ascensionniste, cette fois, s'appelait Darby Field, d'Exeter, dans le New Hampshire. Il gravit le Mont Washington, le pic le plus élevé de la Presidential Range, au mois de juin 1642. Deux guides indiens seulement acceptèrent d'accompagner Field. Les Indiens, en effet, croyaient que la Montagne était la demeure du Grand Manitou et que celui-ci frapperait de mort quiconque oserait s'aventurer sur ses pentes supérieures. Non seulement, Field réussit cette ascension, et y survécut, mais il fut tellement impressionné par la vue qui s'offrit à lui du sommet qu'il y retourna un mois plus tard pour la seconde fois. Il était accompagné de cinq ou six autres pionniers.

Aujourd'hui, ni le Mont Aiguille (2 097 mètres), ni le Mont Washington (1 918 mètres) ne paraissent un défi pour l'homme. Même le sommet du Mont-Blanc (4 807 mètres), le plus haut des Alpes, est devenu un point panoramique pour de nombreux touristes. Cependant, il y a moins de deux cents ans encore, nul n'était prêt à risquer sa vie pour en tenter l'ascension le premier et gagner ainsi le prix offert en 1760 par le célèbre naturaliste suisse, Horace Bénédict de Saussure. Pendant vingt-six ans, le prix ne fut pas décerné. Puis, un prospecteur de cristal, Jacques Balmat, et le physicien Michel G. Paccard, originaires de Chamonix, réalisèrent finalement cet exploit et réclamèrent la récompense. L'année suivante, de Saussure lui-même atteignait le sommet du Mont-Blanc avec son valet de chambre et 18 guides, conduits par Balmat en personne. Les alpinistes considèrent Saussure comme le premier mécène de l'alpinisme moderne.

Néanmoins, pendant de nombreuses années encore, peu de personnes songèrent à gravir une Montagne pour le seul plaisir. Les montagnards eux-mêmes s'abstenaient de toute ascension. En vérité, ces Montagnes étaient considérées par beaucoup comme des excréments de la nature, d'épouvantables imperfections de l'œuvre divine. Au XVIIIe siècle, des voyageurs traversant les Alpes réclamaient parfois qu'on leur mît un bandeau sur les yeux, non pour éviter une sensation de vertige mais parce que leur sens de l'harmonie était choqué du spectacle de pareilles irrégularités à la surface du globe. Un vieux proverbe chinois reflète leur sentiment : « Bien des chemins mènent au sommet de la Montagne, mais la vue en est toujours la même ».

L'ÉTINCELLE de l'aventure jaillit, plus brillante, en 1854; pendant sa lune de miel, en effet, un Britannique, Sir Alfred Wills, se mesura au Wetterhorn (3 708 mètres) particulièrement difficile. D'autres Anglais acceptèrent des défis identiques, l'âge d'or de l'alpinisme commençait. Au cours des seize années qui suivirent, les Britanniques firent l'ascension des principaux sommets d'Europe, communiquant par leur exemple un enthousiasme égal au leur aux guides suisses, français et italiens. Par quelque corde cachée, le tempérament anglo-saxon entendit l'appel de la haute Montagne. Les Britanniques sont essentiellement à l'origine du développement de l'alpinisme.

La plus célèbre ascension, la plus tragique et la plus contestée au cours de ces années, fut probablement celle du Cervin (4 478 mètres) par Edward Whymper, en 1865, dans les Alpes pennines, entre la Suisse et l'Italie. Le Cervin était considéré comme invincible. L'un des plus beaux et des plus spectaculaires sommets du monde, il se dresse comme une pointe dans le ciel du village suisse de Zermatt. Ses versants apparaissent presque verticaux lorsqu'on les aperçoit de la vallée qu'il domine.

Lorsqu'il entreprit cette ascension, Whymper n'avait que 26 ans. Il était toutefois familiarisé avec la Montagne. Envoyé en Suisse, en 1860, par un éditeur londonien pour y faire des croquis, il en était revenu fasciné. Épris d'alpinisme, il y était retourné chaque été pour effectuer un nombre important d'ascensions. Il avait tenté celle du Cervin sept fois, mais, comme beaucoup d'autres, il avait échoué. En 1863, au cours d'une de ces tentatives, il était même resté bloqué vingt-six heures sur la paroi supérieure par une terrible tempête.

Après cet échec, il apparut à Whymper qu'il avait — comme ses prédécesseurs

— attaqué la Montagne par la mauvaise face, la face italienne. Ceci parce que, vue du côté suisse, de Zermatt, l'ascension semblait impossible (elle le semble toujours à qui n'est pas un spécialiste). Mais Whymper découvrit que la pente que l'on aperçoit presque verticale présente en réalité une déclivité de 40 degrés. Son raisonnement le conduisit également à conclure, en observant la neige du sommet, que la face rocheuse apparemment lisse s'étageait en réalité en une suite de terrasses.

LA ROUTE EMPRUNTÉE par Whymper sur les parois du Cervin pour atteindre le sommet de 4478 m. est représentée par le trait rouge de droite. La croix indique l'endroit où tombèrent 4 des 7 alpinistes que comptait l'expédition de 1865. La ligne pointillée figure le chemin du retour.

WHYMPER décida donc en 1865 de tenter l'ascension du versant suisse. Mais il en fut empêché car il ne put convaincre son guide préféré, Carrel, un Italien, de l'accompagner. Puis, un soir, il fit la connaissance d'un jeune Anglais de 19 ans, Lord Francis Douglas, alpiniste expérimenté, et ils décidèrent d'unir leurs efforts. A Zermatt, ils trouvèrent Peter Taugwalder, guide chevronné, qui accepta de les escorter avec son fils, «le jeune Pierre». Whymper et Douglas discutaient de leurs plans dans leur hôtel de Zermatt lorsqu'entra le Révérend Charles Hudson, peut-être le meilleur alpiniste anglais de l'époque. Deux hommes l'accompagnaient : le jeune Douglas Hadow, et le plus célèbre guide de Chamonix, Michel-Auguste Croz. Hudson envisageait, lui aussi, de faire le Cervin. En peu de temps, les deux groupes décidèrent de n'en faire qu'un seul. Cette charmante simplicité allait s'avérer fatale. De toute évidence, Hadow s'était présenté à Hudson comme un alpiniste expérimenté et Whymper avait pris Hudson au mot. En fait, Hadow n'avait effectué que deux ascensions dans sa vie et il s'était révélé dans ces deux tentatives fort maladroit.

Au premier beau jour, l'expédition se mit en route pour le Cervin. La première partie de l'ascension fut si facile qu'à midi les alpinistes atteignaient le point où ils pensaient camper le soir. Là, à 3 300 mètres, ils montèrent leur tente et Croz et le jeune Pierre allèrent de l'avant, en reconnaissance. Les éclaireurs revinrent à 15 heures porteurs d'heureuses nouvelles : le reste de l'ascension semblait étonnamment facile. Cette nuit-là, le groupe discuta gaiement et chanta bien après la nuit.

Le lendemain matin, ils partirent tôt et atteignirent 4 200 mètres d'altitude à 9 h 55. Il restait moins de 300 mètres à parcourir. En dépit du fait qu'Hadow eût constamment besoin d'aide, l'expédition atteignait le sommet à 13 h 40, et Whymper et Croz parcouraient les derniers 60 mètres au pas de course. Une heure plus tard, ils commençaient à descendre, encordés les uns aux autres par mesure de sécurité, Hadow entre Croz, au pied très sûr, et Hudson, d'une adresse presque égale. Tout se fût bien passé sans Hadow, tellement incapable que Croz devait littéralement se retourner à chaque pas pour placer les pieds de son camarade en position convenable.

Ce fut à l'un de ces instants que se produisit le drame. Croz venait de se retourner lorsque Hadow perdit pied et heurta le guide. Croz, surpris et ne pouvant supporter ce poids, tomba en arrière en poussant un cri. Whymper et les deux Taugwalder, alertés par le cri, s'accrochèrent désespérément aux roches à portée de leur main. Ils sentirent une terrible secousse mais ils tinrent bon. Puis, soudain, plus rien ne les tira en arrière, la corde s'était rompue. Comme Whymper l'écrivit plus tard : «Pendant quelques secondes, nous vîmes nos malheureux compagnons glisser vers le bas, sur le dos, et tendant les mains pour essayer de se rattraper. Ils s'éloignèrent de notre vue, indemnes, disparurent un à un, et tombèrent de précipice en précipice dans le grand glacier du Cervin, au-dessous, d'une hauteur de 1 200 mètres. Ainsi périrent nos camarades ! »

Whymper découvrit après coup l'inexpérience flagrante de Hadow et l'état de la corde, déjà passablement usée. Par incompétence, à cause d'une organisation et d'un équipement défectueux, quatre hommes avaient péri. La tragédie fit l'objet de discussions passionnées à Chamonix même pendant tout ce siècle car les compatriotes de Croz demeurèrent convaincus que leur grand guide n'aurait jamais « décroché » s'il n'avait été victime de quelque trahison. Ils soutinrent que Whymper ou l'un des Suisses avaient coupé la corde pour avoir la vie sauve. Aucune preuve n'en fut jamais fournie toutefois, et l'histoire s'apaisa lentement. Depuis lors, 100 000 personnes ont fait l'ascension du Cervin, y compris un homme de 76 ans et une fillette de 11, le même jour d'ailleurs. Toutefois, pendant cette même période, la Montagne a exigé un tribut de plus de 90 vies humaines, dont celle de 4 jeunes fantaisistes qui se vantaient, en 1948, de conduire une vache au sommet. On les retrouva un peu plus tard, morts de froid.

APRÈS 1870, les alpinistes commencèrent à attaquer les mêmes sommets par des chemins plus difficiles et à chercher également des pics plus spectaculaires dans d'autres parties du monde. Au fur et à mesure que ceux-ci étaient vaincus, un travail en équipe s'imposait. Finie l'époque où la plupart des ascensionnistes allaient, seuls ou avec un ou deux amis, à l'assaut de la Montagne. Maintenant, un groupe cherchait son chemin, centimètre par centimètre, chacun étant lié à l'autre par une corde solide. Pour les parois abruptes ou glissantes, un équipement spécial devint également nécessaire. La grande canne à bout ferré de jadis (l'alpenstock) fut remplacée par un piolet solide et léger permettant de tailler des marches dans les pentes de neige glacée ou servant d'amarre à la corde lorsque les prises étaient trop dangereuses ou trop difficiles. Il servait aussi de marteau et on l'utilisait pour enfoncer des pitons de fer dans les fentes de roche ou dans la glace compacte. A ces pitons, on passait un anneau et, dans cet anneau, au gré de l'alpiniste, on tendait une corde ou bien on la laissait glisser pour faire l'ascension de parois rocheuses verticales. Pour s'assurer une meilleure prise sur la glace ou sur la neige compacte, on inventa les crampons, pointes d'acier acérées qui peuvent se fixer aux semelles de l'ascensionniste.

Au début du siècle dernier, les pics célèbres furent vaincus un à un par des montagnards résolus. Une expédition conduite par Edward A. Fitzgerald, en 1897, atteignit le sommet de l'Aconcagua (6 959 mètres) dans les Andes argentines, point le plus élevé de l'hémisphère austral.

Peu après, l'explorateur britannique Sir Halford Mackinder s'assura les services de deux guides alpins pour l'ascension du Mont Kenya (5 195 mètres) en Afrique orientale, un vieux et magnifique volcan solitaire se dressant comme une tour déchiquetée.

Il fallut une expédition beaucoup plus compliquée pour faire la conquête des Montagnes de la Lune — la chaîne du Ruwenzori — à la frontière de l'Ouganda et du Congo. L'ascension de ces Montagnes est extrêmement difficile car elles sont protégées, à proximité du sommet, par le « temps du Ruwenzori », des brouillards, des pluies et des neiges presque perpétuels, et leur base est gardée par une jungle épaisse et une végétation spongieuse. La première ascension victorieuse de ces hauteurs fut méticuleusement organisée en 1906 par l'amiral et explorateur italien, le duc des Abruzzes, qui dirigea une expédition comptant plus de 300 porteurs, 6 savants, 4 guides alpins, le grand photographe de la montagne Vittorio Sella, et un cuisinier compétent. Le duc releva la carte détaillée de la chaîne et fit l'ascension des deux points culminants — pic Marguerite (5 119 mètres) et pic Alexandra (5 105 mètres).

Les sommets les plus difficiles à atteindre, qui représentaient pour l'homme les principaux tests de son habileté en haute montagne, étaient aussi les plus difficiles d'accès. Le Tibet et le Népal, où la masse de la chaîne himalayenne se dresse vers le ciel, ont traditionnellement poursuivi une politique d'exclusion des Européens. Les premiers explorateurs des plus hautes chaînes montagneuses du monde furent des Anglais et des Indiens employés par le Bureau britannique d'Études trigonométriques. En se déguisant en bergers népalais, en pèlerins bouddhistes, un certain nombre d'esprits aventureux franchirent les frontières de ces terres interdites. Beaucoup disparurent; quelques-uns revinrent avec des photographies prises clandestinement et des chiffres; moins encore réussirent à dépasser les villes les plus civilisées et à atteindre de petites communautés des hautes terres où des bergers acceptèrent de les aider à gravir des pics peu élevés. W.W. Graham revendiqua en 1883 l'ascension du Mont Kabrou (7 136 mètres). Ce fut, pendant près de cinquante ans, le sommet le plus élevé atteint par l'homme.

La porte tibétaine sur l'Himalaya s'entrouvrit au printemps 1904, lorsqu'une mission militaire des Indes britanniques fut envoyée à la frontière pour mettre un terme à des incidents et des raids armés. Sir Francis Younghusband, à la tête de ce corps expéditionnaire, arriva jusqu'à Lhassa, la capitale, et obtint du dalaï-lama et de son gouvernement un certain nombre de concessions. La plupart des accords concernaient la frontière. Mais dans le nombre — peut-être parce que Sir Francis était un alpiniste passionné — l'autorisation était accordée à une éventuelle expédition britannique de pénétrer au Tibet dans le but de reconnaître le massif himalayen.

Cette barrière levée, les Montagnes prouvèrent qu'elles en représentaient à elles seules bien d'autres, extraordinaires. Avant tout, il y avait les glaciers abrupts de l'Himalaya que l'on ne pouvait approcher que par des chemins chaotiques encombrés de blocs de glace, les cascades. Sur ces blocs épars, toute progression était pénible et lente. Le glacier atteint, chaque groupe devait se méfier des crevasses perfides et éviter des avalanches presque quotidiennes. Pire que tout, les alpinistes devaient résister à des vents terribles et à des tempêtes de neige inouïes, qui menaçaient de les balayer, eux et leur équipement, et qui y réussirent parfois.

Mais la plus grande difficulté pour des hommes arrivant dans l'Himalaya était — et est toujours — la raréfaction de l'oxygène lorsqu'ils ont été habitués à vivre au niveau de la mer. L'oxygène représente 21 % de l'air et, l'air se raréfiant avec l'altitude, l'oxygène disponible diminue proportionnellement. Les conséquences sur l'habitant des plaines sont graves bien qu'il puisse, avec l'accoutumance, travailler à des altitudes supérieures à 4 300 mètres, tel ce soutien des expéditions himalayennes : le porteur sherpa. Mais des problèmes se posent au sherpa lui-même au-dessus de 5 500 mètres. Ses processus mentaux se trouvent amoindris, ses décisions et ses gestes sont ralentis, sa vue est affaiblie. Même le plus petit effort exige une grande application mentale et une grande peine physique. Il ne peut faire qu'une demi-douzaine de pas sans être obligé de s'arrêter pour respirer. Les battements de son cœur s'accélèrent et son sang devient épais et lourd, accroissant le péril des gelures aux températures de haute altitude. Au-dessus de 7 600 mètres, de nombreux alpinistes ont des hallucinations, entretenant des conversations avec un compagnon de cordée imaginaire. Tous, en haute Montagne n'ont qu'une idée, c'est de redescendre, de finir ce qu'ils ont entrepris et de rentrer chez eux. Comme l'a dit le célèbre George Leigh-Mallory, ils vont « tels des hommes malades marchant dans un rêve ».

Néanmoins, avant comme après la Première Guerre mondiale, des alpinistes atteignirent un certain nombre de sommets des pics himalayens. Le record de Graham fut battu en 1930 par le succès de l'ascension du pic Jongsang (7 459 mètres), une grande Montagne de neige au nord du Kangchenjunga, par les membres d'une expédition internationale organisée en Suisse. Bien entendu, ceux qui avaient tenté l'ascension de l'Éverest aux environs de 1920 étaient montés plus haut que quiconque mais ils n'avaient pas atteint le sommet de la Montagne. En 1931, le record fut à nouveau battu par une expédition anglaise qui atteignit la cime du Kamet (7 755 mètres), à peu près à mi-chemin des deux extrémités de la chaîne himalayenne. Ce fut ensuite le Nanda Devi (7 816 mètres), le pic le plus élevé qu'on eût atteint jusqu'en 1950.

Après la guerre, les alpinistes commencèrent à bénéficier des recherches faites

L'ÉQUIPEMENT DE L'ALPINISTE est présenté ci-dessus. Après la corde, attribut essentiel, le piolet est conçu pour sonder la neige et la roche suspectes, tout autant que pour tailler des marches sur les pentes glacées. Les crampons, en bas, pour travailler dans la neige et la glace, s'ajustent aux chaussures et jouent le même rôle que ceux des chaussures de football. Les pitons, à gauche, se plantent dans les fissures pour assurer des prises de pieds et de mains, la pointe dentelée s'ancrant dans la glace. L'anneau à ressort, ou mousqueton, à droite, s'accroche à l'anneau d'un piton pour l'escalade avec la corde.

dans le but d'augmenter l'efficacité et la sécurité des vols de haute altitude. Les bouteilles portatives d'oxygène comprimé devinrent plus légères. Des masques spéciaux et des valves régulatrices furent mis au point, réduisant le risque de se trouver à court d'oxygène en un instant critique. Grâce à ces améliorations, 1950 fut le point de départ d'un nouvel assaut vers l'Himalaya.

En 1950, une expédition française, conduite par Maurice Herzog, faisait l'ascension de l'Annapurna (8 078 mètres) au cœur du Népal, premier « huit mille » (c'est-à-dire première Montagne d'une altitude supérieure à 8 000 mètres — il en existe 14 dans la chaîne himalayenne, aucune ailleurs) escaladé après 22 autres tentatives. Après avoir quitté leur camp de base sur le plateau de Pokhara, situé à mi-chemin de leur point de départ et de la Montagne, les alpinistes firent connaître par radio leur progression quotidienne. Le monde entier suivit leurs succès et leurs revers. Partout, les hommes comptèrent les semaines, les jours puis les heures qui leur restaient avant la mousson. Alpinistes et porteurs luttèrent au flanc de la Montagne par relais, ployant sous des charges de 20 kilos, portant les vivres, les tentes, les sacs de couchage, les appareils de chauffage, les vêtements et tout l'équipement nécessaire à l'établissement et au maintien de camps jalonnés sur le glacier et sur les pentes supérieures. Des tempêtes balayaient sans cesse la cime, ne permettant pas son approche. Des avalanches et des accidents ajoutèrent aux difficultés. Puis, le 2 juin, se produisit un bref arrêt du mauvais temps. Herzog en personne et Louis Lachenal atteignaient le sommet. Toutefois, Herzog perdit ses gants en défaisant son sac. Il ressentait vivement le manque d'oxygène et sa pensée s'en trouvait ralentie. La descente prit l'allure d'un cauchemar. La tempête se déchaîna et Herzog faillit mourir de froid; une avalanche l'emporta sur 150 mètres. Revenu au Camp II, il fallut lui faire des injections extrêmement douloureuses contre les gelures, puis le transporter pendant près de quatre semaines sur une civière, délirant et mourant, le long des couloirs et des vallées qui ramenaient vers la civilisation. En cours de route, le docteur Oudot, médecin de l'expédition, fut obligé de l'amputer de tous les doigts de la main et des pieds. Louis Lachenal, très gravement gelé lui aussi, ne subit que l'amputation des orteils.

Il ne restait désormais que la plus haute Montagne de toutes : l'Éverest, s'élevant 800 mètres plus haut que les autres, un tueur qui, depuis trente ans de combat farouche, résistait à ceux qui tentaient de le conquérir. L'Éverest fut découvert en 1852 par un membre du Bureau britannique d'Études trigonométriques en Inde. Travaillant sur des perspectives relevées à la frontière indienne quatre années auparavant, cet employé constata à sa grande surprise, que le « Pic XV » situé sur la lointaine frontière qui sépare le Népal du Tibet, presque dissimulé par des Montagnes plus proches et apparemment plus hautes, avaient au moins 300 mètres de plus que tous les autres sommets considérés. On lui donna le nom d'Éverest en souvenir d'un ancien directeur du Bureau d'Études, Sir George Everest, et vers lui convergèrent immédiatement la pensée et les investigations des alpinistes. Il fallut néanmoins attendre 1921 pour qu'une expédition britannique, grâce à l'autorisation accordée par les Tibétains, explorât la face nord de la Montagne et trouvât un chemin jusqu'au glacier du Rongbuk. De là, George Leigh-Mallory, l'un des meilleurs alpinistes de l'époque, deux de ses compagnons et plusieurs porteurs, atteignirent le col Nord, un dos d'âne de l'arête nord-est, situé à 7 000 mètres au-dessus du niveau de la mer, qui donnait accès aux pentes supérieures et au sommet.

L'année suivante, Mallory revint avec une expédition importante comptant 13 Anglais et plus de 150 porteurs. Il reprit sa route jusqu'au col Nord et, de là, établit un petit camp à 7 600 mètres, plus haut qu'aucun homme n'était jamais allé. Mallory et deux de ses compagnons essayèrent alors de gravir le sommet mais ils se trouvèrent si affaiblis par le manque d'oxygène qu'ils ne purent progresser que de 90 mètres par heure. Ils abandonnèrent à 8 200 mètres. Après l'échec de Mallory, deux autres alpinistes anglais, Geoffrey Bruce et George Finch, ainsi qu'un soldat gurkha, Tejbir, firent un nouvel essai. Utilisant des bouteilles d'oxygène — les premières étaient lourdes et incommodes —, ils atteignirent 8 326 mètres mais furent obligés de s'arrêter malgré la tentation exercée par le but, si proche qu'ils pouvaient distinguer les pierres du sommet. L'oxygène, que les sherpas appelaient en riant «l'air anglais», peu utilisé à la montée, leur sauva néanmoins la vie en leur évitant de mourir de froid dans la tempête.

Malgré ce second échec, Mallory refusa de renoncer. Ayant organisé un nouveau camp plus bas, il s'attaqua une fois encore aux pentes supérieures mais il fut arrêté par une avalanche qui tua sept porteurs et emporta presque toute l'expédition.

A PRÈS deux années d'attente et d'organisation, les Anglais tentèrent à nouveau de gravir l'Éverest en 1924. L'expédition — de près de 300 personnes — comptait un certain nombre des alpinistes de la première heure, notamment Mallory qui crut — semble-t-il — que son destin était de conquérir l'Éverest ou d'y mourir. Les difficultés opérationnelles dans l'Himalaya sont telles que, même l'expérience acquise en 1921 et 1922 fut de peu d'utilité en 1924. L'expédition, excellemment organisée et dirigée, connut un certain nombre d'accidents presque fatals et elle dut se replier au camp de base en raison du temps. Mais les hommes persévérèrent et, au cours d'un troisième essai, établirent un cinquième camp provisoire à 7 712 mètres. Après avoir été obligés de battre en retraite une fois encore par la crainte qu'inspirait la tempête aux porteurs, les ascensionnistes s'installèrent au Camp VI à 8 170 mètres. De là, Edward Norton et Theodore Somerwell, deux alpinistes endurcis, tentèrent, le 4 juin, de gravir le sommet. Bien que Norton vît double tant il était éprouvé par le manque d'oxygène et que Somerwell eût une vilaine toux et menaçât d'étouffer, les deux hommes dépassèrent «la bande jaune», strate de grès située entre 8 200 mètres et 8 500 mètres, que les alpinistes précédents avaient clairement distinguée mais jamais atteinte. A 8 500 mètres, Somerwell fut contraint d'abandonner mais Norton poursuivit sur une quarantaine de mètres encore, sur une paroi glissante, semblable à des fragments de schiste. Il ne put aller au-delà; lui aussi dut s'arrêter.

Après ces échecs, on commença à considérer que l'Éverest était un sommet inaccessible, un géant ou un dieu malfaisant décidé à anéantir les plus valeureux assauts. Il était trop haut, le temps qui régnait sur sa cime était trop violent et imprévisible, les derniers 600 mètres étaient trop dangereux. Mais Mallory n'accepta pas de renoncer. Il décida d'effectuer une ultime tentative avant la mousson. Andrew Irvine, jeune alpiniste énergique et enthousiaste sinon très habile, se joignit à lui. Après une journée de préparatifs, Mallory et Irvine quittèrent le Camp V, le 6 juin; ils atteignirent le camp suivant le 7 et, le 8 juin, ils partirent pour le sommet. N.E. Odell, qui se dirigeait vers le Camp VI pour les aider au retour les aperçut tandis qu'ils escaladaient une arête rocheuse, juste au-dessous de la dernière pyramide sommitale. Ils avançaient «à une bonne cadence» mais ils étaient en retard sur leur horaire; le jour était dangereusement avancé pour qu'ils fussent encore à cette altitude s'ils voulaient atteindre la cime et redescendre avant la nuit. Odell les observa tandis qu'ils disparaissaient dans un nuage de brouillard.

Ce fut la dernière fois que l'on vit les deux hommes. Dans la soirée du 8, Odell regagnait le Camp IV. Au cours des deux journées suivantes, il retourna au Camp V avec deux sherpas, puis au Camp VI, seul, et même au-delà, faisant d'héroïques efforts pour retrouver ses compagnons, mais il n'aperçut aucun signe de vie, aucun indice laissant supposer que les alpinistes étaient revenus à l'un ou l'autre camp. Depuis, le destin de Mallory et d'Irvine hante les montagnards. Ont-ils atteint le sommet? Mallory, en dépit de son expérience, a-t-il poursuivi son ascension trop longtemps, trop tard, et s'est-il perdu dans l'obscu-

LE RAPPEL est une méthode utilisée par les alpinistes pour descendre rapidement et sans danger les parois de roche ou de glace verticales. Une corde double est amarrée à une saillie rocheuse, une aiguille de glace ou un piton. L'alpiniste passe alors la corde double autour d'une de ses cuisses et la fait remonter en travers de sa poitrine jusqu'à l'épaule opposée. Le frottement de la corde sur son corps lui permet de contrôler aisément, avec sa main restée libre, la vitesse de sa descente. Arrivé en bas, il se libère et tire la corde pour s'en servir à nouveau.

rité ? Une nuit à la belle étoile sur l'Éverest, avec les vents qui hurlent et une température inférieure à — 45° leur aura certainement été fatale. Un piolet rouillé ayant appartenu à l'un des deux hommes a été retrouvé neuf ans plus tard, à 8 500 mètres, par l'expédition suivante mais nul ne sut jamais dans quelles circonstances il avait été abandonné là.

LES efforts de Mallory furent suivis de trois grands assauts aux environs de 1930. Aucun n'aboutit. L'Éverest demeurait invaincu malgré vingt années d'effort. 7 hommes avaient atteint 8 570 mètres; aucun autre, à l'exception peut-être de Mallory et d'Irvine, n'avait été plus haut. Certains ascensionnistes crurent qu'une barrière invisible se dressait à cette hauteur, que nul ne la franchirait jamais. L'un d'eux considéra l'Éverest comme une Montagne d'une « féroce malignité ».

Survint la Seconde Guerre mondiale; la frontière tibétaine fut fermée et elle l'est restée depuis. Toutefois, le Népal ouvrit la sienne aux expéditions d'alpinistes et ceux qui désiraient tenter l'ascension de l'Éverest se heurtèrent à un nouveau problème. La partie de l'Éverest qui se trouve au Népal est la face sud de la Montagne. Cette face n'avait jamais été gravie et les quelques alpinistes qui l'avaient vue la considéraient comme inaccessible. Il était donc nécessaire d'établir tout d'abord une carte de la région et d'explorer celle-ci. C'est ce que fit, en 1950, le docteur Charles S. Houston, spécialiste américain des questions d'altitude et de l'acclimatement, puis, en 1951, le grand homme de l'Éverest des années 30, le Britannique Eric Shipton. L'année suivante, les Suisses firent deux tentatives, l'une au printemps, l'autre à l'automne. Ni l'une ni l'autre n'aboutirent.

En 1953, les Britanniques décidèrent une nouvelle expédition, expédition dirigée par le colonel John Hunt. Ce fut la plus minutieuse jamais entreprise. Les alpinistes consacrèrent beaucoup plus de temps que par le passé à s'acclimater à la haute altitude, puis hissèrent sur la face sud-ouest de la Montagne 5 tonnes d'équipement spécialement conçu dans sa majeure partie pour l'expédition. Il fallut 362 porteurs pour transporter toutes ces caisses depuis Darjeeling, le camp de base, dans le Nord-Est de l'Inde. Sur plus de 240 kilomètres, ces hommes transportèrent péniblement leur fardeau, gravissant des cols situés à 3 000 mètres d'altitude et redescendant dans des vallées chaudes et humides à moins de 1 200 mètres au-dessus du niveau de la mer. 34 sherpas spécialisés vinrent se joindre au groupe lorsqu'on aborda les glaciers et les alpinistes commencèrent à établir leurs camps à flanc de Montagne, chacun étant un peu plus élevé que le précédent. Lorsque fut lancé l'assaut final, l'oxygène fut utilisé très largement, tant pour monter pendant le jour que pendant la nuit pour éviter toute suffocation et toute insomnie.

La dernière partie de l'opération était conçue en sauts de grenouille. 2 alpinistes, Tom Bourdillon et R.C. Evans, devaient essayer les premiers, quittant un petit camp établi à quelque 1 000 mètres sous le sommet, le huitième de ceux jalonnant la pente de la Montagne. Le groupe de soutien — qui comprenait le colonel Hunt et plusieurs « tigres », ainsi qu'on appelait les porteurs sherpas de haute altitude — devait transporter les bouteilles d'oxygène et les fournitures un peu plus loin, au Camp IX, le point le plus élevé accessible à des hommes lourdement chargés. Au cas où Bourdillon et Evans échoueraient, Edmund Hillary, un Néo-Zélandais de 1,90 mètre et Tensing Norgay, le plus célèbre peut-être des tigres sherpas, devaient gagner le Camp IX, s'y reposer une nuit et tenter l'ultime essai.

Bourdillon et Evans échouèrent effectivement, bien qu'ils parvinssent à moins de 100 mètres du sommet et que cette altitude fût la plus haute jamais atteinte jusque-là. Dès le départ ils eurent de gros ennuis avec leurs appareils à oxygène. A 8 625 mètres, ils se trouvèrent au bas d'une pente périlleuse et abrupte allant jusqu'au pic Sud et ils changèrent de bouteille pour ne pas courir le risque de manquer d'oxygène au cours d'une escalade aussi difficile. Très vite, l'appareil d'Evans cessa de fonctionner normalement et Bourdillon continua seul vers l'objectif immédiat, le pic Sud, tandis qu'Evans se traînait, presque incapable de respirer. Fallait-il continuer ? Après une âpre discussion, les deux hommes décidèrent de redescendre et Bourdillon ne s'en consola pas. Leur descente fut un cauchemar et ce fut par miracle qu'ils arrivèrent vivants sur un matelas de neige fraîche, au bas du couloir. Épuisés et déçus, ils réussirent cependant à faire à Hillary et à Tensing une description minutieuse de ce qu'ils trouveraient lorsqu'ils escaladeraient le pic Sud qui, selon eux, dissimulait à la vue le véritable sommet. Après avoir dû demeurer dans leurs tentes, au Camp VIII, un jour et une nuit de plus, en raison d'une violente tempête, Hillary et Tensing, avec leur groupe de soutien, s'avancèrent jusqu'à 8 504 mètres et y établirent le Camp IX. Le groupe de soutien s'en alla et les deux hommes passèrent la nuit seuls. Le lendemain, 29 mars, à 6 heures et demie, ils partirent pour leur célèbre randonnée. Ils dépassèrent l'endroit où, un an plus tôt presque jour pour jour, Tensing et Raymond Lambert avaient dû faire demi-tour, celui où Bourdillon et Evans avaient été obligés de battre en retraite. A 9 heures, après une progression extrêmement dangereuse en neige molle et profonde, ils atteignaient le sommet du pic Sud. Là, le spectacle était terrifiant. Ayant néanmoins trouvé un passage, Hillary et Tensing reprenaient leur ascension, retardés cependant par le mauvais fonctionnement de l'appareil à oxygène du célèbre sherpa : le tuyau d'évacuation était presque entièrement obstrué par la glace et l'air expiré ne pouvait s'échapper. Hillary réussissait cependant à extraire la glace et les deux hommes reprenaient leur marche. Ils se trouvèrent bientôt au pied du plus formidable obstacle : un grand ressaut rocheux et c'est dans une longue et étroite fissure formée entre le roc et la glace qu'Hillary choisit de passer après avoir pris une photographie.

Leur avance fut extrêmement lente, leur lassitude était extrême, les ondulations succédaient aux ondulations, brusquement, ce fut la dernière. A 12 mètres au-dessus des deux hommes s'élevait un dôme neigeux, le sommet de l'Éverest. Il était 11 heures et demie.

Tensing déploya les drapeaux enroulés autour de son piolet et les agita au-dessus de sa tête tandis qu'Hillary prenait la photo de la victoire. Le sherpa enfouit ensuite ses offrandes aux dieux de Chomolungma : des biscuits, une plaque de chocolat et des sucreries. L'alpiniste néo-zélandais y ajouta le petit crucifix que lui avait remis John Hunt, voisinage étrange et symbole spirituel de la paix de la Montagne. Après avoir dégusté un morceau de gâteau à la menthe, les deux hommes se remettaient en route à midi moins le quart. Il leur restait deux heures d'oxygène. Tout en prenant le maximum de précautions, une heure allait leur suffire pour regagner le pic Sud. Se souvenant de tous ceux qui, avant eux, avaient tenté la même escalade et avaient échoué, ils cherchèrent des traces de Mallory et d'Irvine. Lorsqu'ils rejoignirent le Camp VIII, toute l'expédition amorça sa retraite vers le glacier. Un message envoyé par radio annonça leur victoire à Londres, la veille du couronnement de la reine Élisabeth II. Hillary et le colonel Hunt furent tous deux anoblis par Sa Majesté.

SI l'ascension de l'Éverest marqua l'apogée des expéditions himalayennes, elle fut suivie, contre toutes les lois de la tragédie, d'une demi-douzaine d'autres du même style. Des alpinistes de plusieurs nations continuèrent l'assaut des 8 000 sur des pics moins élevés. Les plus dramatiques de ces ascensions furent celles du Nanga Parbat, du Mont Godwin Austen, ou K2, et du Kangchenjunga. Ces deux derniers sont, après l'Éverest, les plus hautes Montagnes du monde, et toutes trois ont été considérées plus difficiles que l'Éverest. Mais elles furent toutes escaladées avec succès de 1953 à 1955 par des expéditions allemandes, italiennes et anglaises. Le Lhotse, le pic frère de l'Éverest et le quatrième sommet par sa hauteur, fut gravi par une expédition suisse. Un certain nombre d'autres géants himalayens, qui avaient résisté à tous les assauts antérieurs, durent également capituler.

Mais l'alpinisme des années 1920, 1930 ou 1950 ne se borna pas à l'Himalaya. De nombreuses ascensions audacieuses furent effectuées ailleurs dans le monde, particulièrement dans les Alpes et dans les Dolomites, où les alpinistes essayèrent d'emprunter des chemins toujours plus difficiles pour gagner des sommets depuis longtemps atteints par des voies plus aisées. Ce genre d'alpinisme, où l'accent est mis non plus sur la Montagne escaladée mais sur la façon dont elle l'a été, sur l'art et la manière plus que sur l'altitude, a été à l'honneur depuis l'époque de Whymper. Son plus grand partisan fut un Anglais nommé A.F. Mummery, qui pratiqua l'alpinisme au cours des dernières décennies du XIXe siècle, et qui mit au point de nombreuses techniques d'ascension contemporaine. Mummery créa sa légende en faisant l'ascension des aiguilles rocheuses « impossibles » qui se dressent non loin du Mont-Blanc et de Chamonix. L'entre-deux guerres fut témoin d'un grand nombre d'ascensions toujours plus audacieuses. Elles finirent par créer un état d'esprit particulier : conquérir ou mourir. Ce culte du danger anima malheureusement un grand nombre d'ascensions de ces décades et particulièrement celles des alpinistes allemands ou italiens éperonnés par des sentiments nationalistes intenses. Escaladant pour la gloire de la patrie, pour le *Führer* ou le *Duce*, beaucoup se lancèrent à l'assaut de parois dépassant leurs capacités, ou les capacités de quiconque, et y trouvèrent la mort. Le nombre des accidents fatals, survenus dans les Alpes, se chiffra à 400 en quelques années, un massacre grotesque mais correspondant peut-être à une décennie grotesque.

1936 marqua l'apogée de ce climat lorsque deux jeunes Allemands et deux jeunes Autrichiens essayèrent d'escalader la paroi de l'Eiger, un précipice de 1 600 mètres, à proximité de la Jungfrau. Beaucoup avaient essayé auparavant, aucun n'avait réussi, et presque toutes les expéditions qui s'y étaient hasardées, avaient perdu un ou plusieurs alpinistes. Tandis que les gens les observaient de leur télescope, sur la terrasse d'un hôtel voisin, les quatre jeunes gens rampaient vers le haut avec une lenteur extrême. Ils passèrent deux nuits debout, amarrés à la paroi par leur corde. Au cours de la seconde nuit, une tempête entoura la Montagne et tout le monde pensa qu'ils allaient être emportés mais, au lever du troisième jour, on les voyait toujours. A cette heure, les jeunes gens avaient dû comprendre que leur entreprise était sans espoir, et ils commencèrent à redescendre. Pourtant, affaiblis comme ils l'étaient par le froid, cela leur était devenu impossible. Ils demeuraient seulement accrochés à la roche, immobiles. Quatre guides s'encordèrent et essayèrent d'aller à leur secours. Mais, avant qu'ils fussent parvenus aux cordes inférieures, l'un des jeunes gens lâcha prise et tomba dans le vide.

La corde de celui qui était tombé, en se tordant, décapita presque le suivant et le troisième, entraîné, alla s'écraser sur la paroi rocheuse. Le dernier coupa la corde qui le reliait à ces deux cadavres — le premier était tombé jusqu'en bas — et réussit presque à rejoindre les guides mais il lâcha prise à son tour et tomba vers la mort.

De tels excès n'étaient pas courants ailleurs et l'alpinisme bien compris fut pratiqué dans les Tetons, les meilleures Montagnes d'escalade aux États-Unis, dans les chaînes côtières de la Colombie britannique, dans les Andes, dans les Alpes néo-zélandaises et même au Japon. Des écoles d'alpinisme ont été créées sur tous les continents. De plus en plus nombreux sont ceux qui le pratiquent, fascinés, comme tous les hommes le sont, par les grandes Montagnes de notre planète; et attirés aussi par la satisfaction qu'éprouve tout individu ayant vaincu un formidable obstacle naturel par son ingéniosité et son courage d'homme.

Haut de 4478 mètres, le majestueux Cervin domine une vallée suisse. La première ascension en fut faite suivant l'arête située au premier plan.

L'homme contre la Montagne

Des pics élevés et beaux comme le Cervin ont toujours impressionné et fasciné l'homme. Ce n'est qu'aux temps modernes, cependant, qu'il a éprouvé le besoin d'en faire l'ascension; ce n'est qu'au siècle dernier qu'il s'est lancé, de façon répétée, à l'assaut des plus hauts. Un à un, les grands sommets ont été vaincus et, entre les dix années séparant 1950 de 1960, onze d'entre eux ont été escaladés, dont le plus haut, l'Éverest.

UNE VISION DE CROIX apparut à Whymper après l'accident. C'était en fait un arc-en-ciel de brouillard. Un tel effet d'optique n'est pas rare lorsque les rayons du soleil traversent les nuages.

WHYMPER EN 1865.

WHYMPER ÉCHAPPE DE PEU à de dangereuses chutes de roches sur le Cervin. Ce dessin et celui du haut appartiennent à la collection exécutée par Whymper lui-même d'après ses aventures alpestres.

Victoire et mort au Mont Cervin

Lorsque l'alpinisme devint brusquement une passion au XIXe siècle, les Alpes furent la principale chaîne vers laquelle les alpinistes portèrent leur attention. L'un après l'autre, les grands sommets furent gravis. Mais le Cervin, qui, par son altitude et sa beauté, était l'objectif de presque tous les pionniers, résista à toutes les tentatives. Un homme plus que tout autre ambitionna de réaliser cette première ascension. Il s'appelait Edward Whymper; dessinateur, il avait été envoyé dans les Alpes par un éditeur londonien pour y réaliser quelques croquis et il était devenu un alpiniste ardent. A sa huitième tentative, en 1865, Whymper atteignit le sommet du Mont Cervin, mais comme il redescendait avec les membres de son expédition, la plus célèbre des tragédies de montagne se produisit. L'un de ses compagnons glissa et en heurta un autre. Dans leur chute, les deux hommes en entraînèrent deux autres. La corde se rompit et tous quatre périrent écrasés sur les roches du précipice. Cet accident provoqua la réprobation de tous et bien des personnes — dont la reine Victoria — suggérèrent que l'alpinisme fût interdit. Mais cela ne diminua pas l'ardeur d'enthousiastes confirmés ni ne retarda la montée de la fièvre alpine.

LE DÉSASTRE APRÈS LA VICTOIRE : quatre membres de l'expédition Whymper tombent vers la mort. Cette gravure est l'œuvre de l'artiste français du XIXe siècle Gustave Doré.

Après Whymper : des dames et des chiens

Après les ascensions des pionniers des années 1860, l'alpinisme connut dans les Alpes un succès croissant. Les femmes elles-mêmes s'y adonnèrent, certaines avec hésitation et réserve, d'autres — comme Annie Peck — avec un zèle ardent. Le premier érudit en la matière apparut en la personne du Révérend W.A.B. Coolidge, qui effectua 1700 expéditions et écrivit des ouvrages qui font autorité sur tous les grands cols et sommets alpins. A la même époque, de célèbres alpinistes, tel Alfred Mummery, mirent au point de nombreux instruments et de nombreuses techniques pour traverser les couloirs et gravir des parois presque verticales de glace, de neige ou de roche *(voir pages suivantes)*.

LE CHIEN TSCHINGEL, compagnon de Coolidge au cours de 66 grandes ascensions, détient tous les records d'alpinisme de la gent canine.

POUR LE PHOTOGRAPHE, la première Américaine à· gravir le Cervin, Annie Smith Peck, arbore tous ses insignes. Institutrice, elle fit de l'alpinisme pendant 40 ans et ne cessa qu'à 82 ans.

DES DAMES font une randonnée sur un glacier sous la conduite de guides. Des milliers de touristes effectuaient de modestes excursions à la fin du XIXe siècle lorsque les Alpes devinrent à la mode.

LA NEIGE EST DANGEREUSE lorsque la pente est verticale et glacée ou lorsqu'un mouvement risque de déclencher une avalanche. En Suisse, sur la paroi nord de l'Eiger *(ci-contre),* trois alpinistes escaladent un à-pic glacé où le travail d'équipe est absolument indispensable. Les hommes sont encordés, le premier taille des marches dans la glace et un seul se déplace à la fois.

LA NEIGE est ici facile parce qu'un amoncellement ancien et bien tassé coiffe l'arête du Mont Bertha, en Alaska. C'était la première ascension de la Montagne; les alpinistes empruntèrent cette langue de glace de préférence à la roche glissante. En pareil cas, toutefois, il faut faire attention car des vagues de neige peuvent se trouver en surplomb et les hommes risquent de passer au travers.

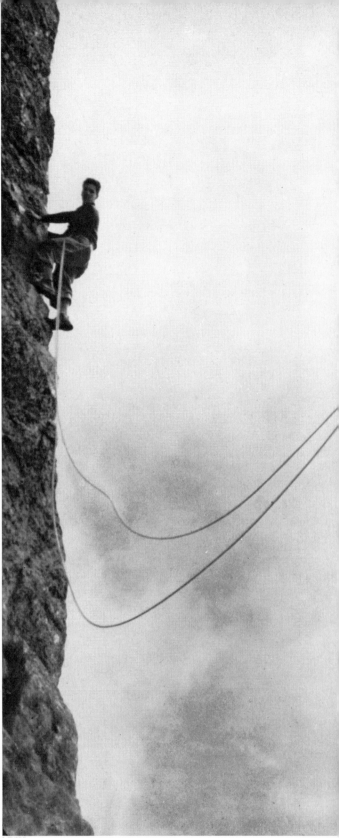

UNE TRAVERSÉE TYROLIENNE est exécutée par deux alpinistes *(ci-dessus),* très haut dans les aiguilles de Chamonix, ces pointes de granit qui ont fasciné tant

DESCENDANT une aiguille en rappel, cet alpiniste dévide la corde qu'il a entourée autour de ses hanches et de son épaule. C'est là une méthode de descente rapide et sans danger.

d'hommes. Pour atteindre la paroi rocheuse de gauche, ils lancent un pont en enroulant la corde en boucle autour de l'aiguille de droite, puis en la fixant à des pitons de fer.

UNE CHEMINÉE permet à un alpiniste de se hisser vers le haut en s'aidant des deux pieds. Cet homme a contourné la roche calée au-dessus de lui avec des pitons et une corde.

A l'assaut de la Tour du Diable

Les parois striées et presque verticales de la Tour du Diable, piton de roche volcanique, situé dans le Wyoming, paraissent meurtrières. Mais la Tour n'est pas aussi sinistre. Elle présente des fissures qui sont autant de prises, des cheminées que l'homme peut escalader centimètre par centimètre et des saillies qui servent d'amarres à la corde. Ainsi aidés, des dizaines d'alpinistes ont escaladé la Tour en une seule semaine de 1956 sans que l'on déplore un seul accident. Cet assaut massif marqua le cinquantième anniversaire du jour où la Tour fut décrétée monument national et plus de dix-sept clubs d'escalade envoyèrent des équipes du pays tout entier. Les meilleurs furent les alpinistes de l'armée appartenant aux unités d'entraînement en Montagne de Fort Carson. Ils ouvrirent de nouvelles voies d'accès et l'une des équipes fit deux fois l'ascension en une seule journée, dans le temps record, au cours de son second essai, de une heure et 28 minutes.

TELLE UNE SOUCHE gigantesque, la Tour du Diable se dresse, abrupte, à 260 mètres, dans le Wyoming. C'est le noyau solide d'un volcan dont les versants plus doux ont été usés par l'érosion.

DEUX ALPINISTES de l'armée (ci-contre) s'ouvrent une route difficile au flanc de la Tour du Diable. Ils grimpèrent en utilisant des cordes attachées aux pitons plantés dans la roche.

Les alpinistes victorieux sont debout sur le sommet de la Tour du Diable, à 260 mètres. Un hélicoptère assura le ravitaillement de ceux qui y campèrent.

Cinquante Montagnes célèbres

Cette gravure représente 50 des plus grandes, des plus importantes ou des plus célèbres Montagnes du monde, groupées et coloriées suivant les continents où elles se trouvent. Les dates indiquées entre parenthèses, sous leurs noms, sont celles des premières ascensions connues; si cette date est inconnue, elle est remplacée par un point d'interrogation. L'altitude de ces sommets, la nationalité des hommes qui les gravirent les premiers, et d'autres détails de leur histoire sont mentionnés dans l'Appendice, page 186.

9 000 m
8 400
7 800
7 200
6 600
6 000
5 400
4 800
4 200
3 600
3 000
2 400
1 800
1 200
600
Niveau de la mer

McKinley (1913)
Aconcagua (1897)
Logan (1925)
Chimborazo (1880)
Cotopaxi (1872)
Kilimandjaro (1889)
Citlaltepeti (1848)
Elbrouz (1868)
Popocatapetl (v. 1523)
Kenya (1899)
Fridtjof Nansen (1962)
Pikes Peak (1820)
Marguerite (1906)
Mont-Blanc (1786)
Rainier (1870)
Elbert (?)
Whitney (1873)
Cervin (1865)
Toubkal (1923)
Gunnbjorn (1935)
Grand Téton (1898)
Etna (?)
Olympe (?)
Washington (1642)
Vésuve (?)

PÔLES   AMÉRIQUE DU NORD ET DU SUD   AFRIQUE   EUROPE

9 000 m

Cho Oyu
(1954)

Manaslu
(1956)

Everest
(1953)

8 400

K2
(1954)

Gasherbrum I
(1958)

Dhaulaghiri
(1960)

Lhotse I
(1956)

Kangchenjunga
(1955)

Makalu
(1955)

7 800

Nanga Parbat
(1953)

Broad Peak
(1957)

Annapurna
(1950)

Gosainthan
(inexploré)

Tirachmir
(1950)

7 200

Mugh Mustagh
(1956)

6 600

Communisme
(1933)

Tengri Khan
(931)

6 000

5 400

4 800

Ararat
(1829)

Carstensz
(1936)

4 200

Mauna Kea
(?)

3 600

Kinabalu
(?)

Cook
1894)

3 000

Fuji-yama
(?)

2 400

Sri Pada
(?)

1 800

Kosciusko
(?)

1 200

600

Niveau de la mer

ASIE   AUSTRALIE ET OCÉANIE

Logistique
des sommets éloignés

Les grands sommets de l'Himalaya et du
Karakoram se trouvent à quelques centaines de
kilomètres de la gare la plus proche, d'un aérodrome
ou même d'une route. Nourriture, vêtements,
équipement doivent être transportés à dos d'homme.
Les porteurs Sherpa et Balti, étonnamment résistants, vont jour après jour en terrain très accidenté
avec des fardeaux de 125 kilos. L'expédition italienne de 1958 au Gasherbrum IV, dans le Karakoram, utilisa 438 Baltis pour porter son matériel
sur 220 kilomètres, jusqu'au pied de la Montagne.
Ils traversèrent les cours d'eau et escaladèrent
roches et glaciers. Les plus célèbres porteurs sont
les Sherpas du Népal qui se sont spécialisés dans le
portage en haute altitude. Beaucoup ont le titre de
« tigres » pour avoir porté leurs fardeaux aux camps
les plus élevés. Tensing Norgay, un Sherpa, est l'un
des deux premiers hommes à avoir vaincu l'Éverest.

UN HOMME SUR SON DOS, ce porteur traverse un torrent
glacé dans les hautes terres du Karakoram. Ces montagnards sont
si résistants qu'ils peuvent marcher pieds nus dans la neige.

APPUYÉS à leur gros sac, ces porteurs Baltis se reposent. Ils ne
supportent d'aussi lourdes charges que parce que leur tribu a transporté des marchandises à travers ces Montagnes pendant des siècles.

LE JOUR de paie pour un porteur marque la fin d'une expédition.
Les gages normaux varient de 6 à 10 francs par jour, mais
les Sherpas de haute altitude reçoivent habituellement davantage.

Précipices, tempêtes et froid meurtrier

Lorsqu'une expédition a péniblement atteint la base d'une grande Montagne, les conditions extrêmes se présentent alors à elle pour en faire l'ascension. Froid plus âpre, air raréfié, parois de roche ou de neige dangereuses ne permettent pas aux alpinistes de progresser de plus de quelques dizaines de mètres par jour. Des camps jalonnés doivent être établis et alimentés en réserves, chacun étant à une journée d'ascension du précédent. Dans les camps les plus élevés, les tempêtes nocturnes risquent d'arracher les tentes des corniches où elles sont plantées, la neige s'introduit dans toutes les fissures et, souvent, le froid et le vent sont si intenses que les hommes ne peuvent quitter leur étroit refuge pendant deux jours.

A 8 000 MÈTRES, dans le Cachemire, un alpiniste contourne une arête abrupte. Un faux pas l'enverrait dévaler 2 000 mètres plus bas sur le glacier. A de telles altitudes, la raréfaction de l'oxygène affaiblit les hommes et rend l'escalade très dangereuse.

DÉGAGEANT UN CAMPEMENT avancé *(à gauche)* après trois jours de tempête, cet alpiniste essaie d'enlever la neige tombée sur sa tente. Une tente déchirée à pareille altitude, où la température descend à —45° peut être une catastrophe fatale.

183

Sous un chargement de trente kilos, y compris la bouteille d'oxygène, Hillary et Tensing avancent péniblement, vers le camp le plus élevé avant l'assaut final.

D'INNOMBRABLES tasses de thé adoucissent la gorge terriblement desséchée d'Hillary et de Tensing tandis qu'ils se reposent après l'ascension. Hillary était si las qu'il avait vraiment l'impression que tout cela concernait un autre que lui-même.

Les plus hauts du monde

Les premiers hommes à avoir atteint le sommet de l'Éverest, la plus haute Montagne du monde, sont Edmund Hillary, un grand Néo-Zélandais, et Tensing Norgay, un porteur Sherpa dont les précédentes performances avaient été si brillantes qu'il fut alpiniste à part entière. Après une nuit froide et inconfortable au Camp IX—une petite tente sur une corniche à 8 500 mètres d'altitude—Hillary et Tensing partirent pour le sommet à l'aube du 29 mai 1953. Avançant prudemment et utilisant l'oxygène, ils escaladèrent l'arête tranchante du pic Sud. À 11 h 30 du matin, celle-ci devint brusquement plane et les deux hommes comprirent que le sommet, qui avait tenu en échec sept grandes expéditions, était enfin atteint.

INSTANT ÉMOUVANT, Tensing *(ci-contre)* brandit les drapeaux des Nations Unies, de la Grande-Bretagne, du Népal et de l'Inde. Pendant qu'Hillary prenait d'autres photographies Tensing enfouit des offrandes à ses dieux bouddhistes.

Appendice

Les Montagnes qui sont énumérées ci-dessous sont toutes célèbres par leur altitude, par les grandes difficultés qu'elles ont présentées aux alpinistes qui ont tenté de faire leur escalade, ou par le tribut qu'elles ont prélevé sur la vie humaine. Quelques-unes, tels le Vésuve et la Montagne Pelée, sont des volcans et ont anéanti des villes entières. Certaines, tels l'Etna, le Mont Olympe et l'Ararat, ont été l'objet de la vénération religieuse des peuples qui vivaient à proximité, à l'aube des temps historiques. D'autres sont encore aujourd'hui des Montagnes sacrées, le Fuji-yama pour les Japonais, le Sri Pada pour les trois grandes confessions asiatiques — islamisme, bouddhisme, hindouisme — qui prospèrent à Ceylan. Les Alpes d'Europe et les grands sommets des plateaux d'Asie centrale sont, bien entendu, les plus connus comme étant le cadre des hauts faits de l'alpinisme.

AMÉRIQUE DU NORD

McKinley, Alaska	6 096 m	Le plus haut du continent, 5 640 m de la base au sommet. Première ascension 1913 (E.U.)
Logan, Canada	6 050 m	Second sommet du continent. Première ascension 1925 (expédition jumelée E.U.-Canada)
Citlaltepetl (Orizaba), Mexique	5 700 m	Sommet volcanique couvert de neige. Première ascension 1848 (France)
Popocatepetl, Mexique	5 439 m	Sommet aztèque sacré, profané par les conquistadores qui le gravirent pour y chercher du soufre pour la poudre à canon. Longtemps endormi, il recommença à fumer en 1965
Blackburn, Alaska	5 036 m	Première grande ascension réalisée par une femme aux États-Unis (Dora Keen, E.U., 1912)
Whitney, Californie	4 418 m	Jusqu'à l'annexion de l'Alaska, le plus haut sommet des E.U. Première ascension 1873 (E.U.)
Elbert, Colorado	4 399 m	Première ascension officielle en 1847 (E.U.), mais gravi antérieurement par des trappeurs et des Indiens
Rainier, Washington	4 391 m	Sommet volcanique supportant 26 glaciers. Première ascension 1870 (E.U.)
Pikes Peak, Colorado	4 301 m	Première ascension connue en 1820 (E.U.). Une route automobile conduit maintenant au sommet
Grand Teton, Wyoming	4 192 m	De 1810 à 1840, domaine des trappeurs et des montagnards. Première ascension 1898 (E.U.)
Gunnbjörn, Groenland	3 700 m	Le plus haut sommet arctique. Première ascension 1935 (G.B.)
Washington, New Hampshire	1 917 m	Premier sommet américain gravi par un Blanc (Darby Field, New Hampshire, 1642)
Pelée, Martinique	1 350 m	Détruisit entièrement la ville de Saint-Pierre (30 000 tués) au cours de l'éruption de 1902

AMÉRIQUE DU SUD

Aconcagua, Argentine	6 959 m	Le plus long versant du monde, plus de 14 000 mètres du sommet aux fonds océaniques (fosse Pérou-Chili) à 160 km de là. Première ascension 1897 (G.B.)
Huascarán, Pérou	6 750 m	Premier grand sommet gravi par une femme (Annie S. Peck, E.U. 1908)
Chimborazo, Équateur	6 272 m	Ascension tentée en 1802 par l'alpiniste allemand Humboldt, gravi en 1880 par Whymper (G.B.)
Cotopaxi, Équateur	5 897 m	Volcan en activité. Ascension tentée par Humboldt en 1802. Première ascension 1872 (Allemagne)

EUROPE

Elbrouz, U.R.S.S.	5 633 m	Le plus haut sommet du continent. Première ascension 1868 (G.B.)
Mont-Blanc, France	4 807 m	Le plus haut des Alpes. Première ascension 1786 (France)
Cervin, Suisse	4 478 m	Résista à de nombreuses tentatives, gravi finalement par Whymper 1865
Wetterhorn, Suisse	3 701 m	Gravi par les Britanniques en 1854, marque le début de l'« âge d'or » de l'alpinisme
Etna, Italie	3 274 m	Le plus élevé des volcans actifs en Europe; plus de 260 éruptions enregistrées en deux mille cinq cents ans
Olympe, Grèce	2 911 m	Demeure des dieux de la mythologie grecque.
Vésuve, Italie	1 280 m	Seul volcan en activité sur le continent européen. Détruisit Pompéi en l'an 79

AFRIQUE

Kilimandjaro, Tanganyika	5 978 m	Volcan éteint. Première ascension en 1889 (Allemagne)
Kenya, Kenya	5 194 m	Cône volcanique éteint, presque à l'équateur. Première ascension 1899 (G.B.)
Marguerite, Congo	5 119 m	Le plus haut sommet du Ruwenzori. Première ascension 1906 (Italie)
Toubkal, Maroc	4 165 m	Le plus haut d'Afrique du Nord. Première ascension 1923 (France)

ASIE

Everest, Népal	8 882 m	Le plus haut du monde. Première ascension 1953 (expédition britannique et sherpa)
K2 (Godwin Austen), Cachemire	8 620 m	Le second sommet du monde. Première ascension 1954 (Italie)
Kangchenjunga, Sikkim	8 565 m	Première ascension 1955 (G.B.)
Lhotse, Népal	8 545 m	Première ascension 1956 (Suisse)
Makalu, Népal	8 515 m	Première ascension 1955 (France)
Cho Oyu, Népal	8 154 m	Première ascension 1954 (Autriche). Une expédition féminine en 1959 se termina par la mort de quatre alpinistes

Dhaulaghiri, Népal	8 180 m	Première ascension 1960 (Suisse). Deux morts dans les essais antérieurs
Nanga Parbat, Jammu-Cachemire	8 120 m	Première ascension 1953 (expédition austro-allemande). Vingt-neuf morts dans les tentatives antérieures
Manaslu, Népal	8 125 m	Première ascension 1956 (Japon). Bouddha considérait son ascension comme un pèlerinage
Annapurna, Népal	8 078 m	« Premier 8 000 » vaincu; gravi en 1950 (France)
Gasherbrum, Jammu-Cachemire	8 035 m	Première ascension 1958 (E.U.)
Broad Peak, Jammu-Cachemire	8 047 m	Première ascension 1957 (Autriche)
Gosainthan, Tibet	8 013 m	Vierge; se dresse dans une partie peu connue de la chaîne himalayenne, Népal-Tibet
Tirachmir, Pakistan	7 750 m	Le plus haut de l'Hindou-Kouch. Première ascension 1950 (Norvège)
Pic Communisme, U.R.S.S.	7 495 m	Autrefois pic Staline. Première ascension 1933 (U.R.S.S.)
Mugh Mustagh, Jammu-Cachemire	7 280 m	Première ascension 1956 (G.B.)
Tengri Khan, U.R.S.S.-Chine	6 995 m	Première ascension 1931 (Japon)
Ararat, Turquie	5 165 m	Volcan éteint. L'Arche de Noé s'y arrêta, selon la légende. Première ascension 1829 (Allemagne)
Carstensz, Nouvelle-Guinée occidentale	5 040 m	La plus haute île montagneuse du globe. Première ascension 1936 (Hollande)
Kinabalu, Bornéo	4 175 m	Date de la première ascension inconnue
Fuji-yama, Japon	3 776 m	Montagne sacrée des shintoïstes, la plus haute du Japon. Volcan endormi, dernière éruption 1707
Sri Pada (Pic d'Adam), Ceylan	2 244 m	Montagne sacrée, vénérée par les bouddhistes, les musulmans et les hindous

ANTARCTIQUE, AUSTRALIE, OCÉANIE

Massif Vinson, Antarctique	5 151 m	Groupe de pics inexplorés dominant les Monts Ellsworth
Mauna Kea, Hawaï	4 210 m	Volcan en activité, le plus haut du monde de la base au sommet (9 600 mètres du fond océanique)
Cook, Nouvelle-Zélande	3 764 m	Le plus haut sommet des Dominions. Première ascension 1894 (Nouvelle-Zélande)
Kosciusko, Australie	2 228 m	Le plus haut sommet du continent. Date de la première ascension inconnue

Sources des illustrations

Les sources des illustrations de gauche à droite sont séparées par des virgules ; de haut en bas par des tirets.

Couverture : Ray Atkeson. 8 : Minor White (Gamma). 12 : Dessin par Frances W. Zweifel. 14 : Dessin par Adolph E. Brotman. 15 : Dessin par Adolph E. Brotman. 17 : Georgia Engelhard (Monkmeyer Press Photos). 18, 19 : Bob et Ira Spring. 20, 21 : Dmitri Kessel. 22 : Charles E. Rotkin (Photography for Industry). 23 : Office de Tourisme suisse, Bob et Ira Spring. 24, 25 : Swissair. 26 : Georgia Engelhard (Monkmeyer Press Photos). 27 : A. Klopfenstein (Office de Tourisme suisse). 28, 29 : à gauche Swissair; centre Meerkamper (Monkmeyer Press Photos) — Monkmeyer Press Photos; à droite Swissair. 30 : NBC Newsreel (United Press International) excepté en haut à droite United Press International. 31 : N.R. Farbman. 32 : Bradford Washburn. 34, 35 : Dessins par Matt Greene. 36 : Dessins par Mark A. Binn. 38 : Dessins par Adolph E. Brotman. 41 : William A. Garnett. 42 : Ansel Adams extrait du livre *This Is the American Earth* publié par Sierra Club. 43 : Ray Atkeson. 44, 45 : Peinture de Ray Pioch. 46, 47 : Peinture de Kenneth S. Fagg. 48, 49 : Ray Atkeson, Andreas Feininger (2) — George Silk. 50, 51 : Ray Atkeson. 52 : Juan Guzman. 54 : Dessins par Adolph E. Brotman. 57 : Dessins par Matt Greene. 58 : Dessin par Kenneth Gosner. 61 : Dessins par Mark A. Binn. 63 : Brown Brothers. 64, 65 : Culver Pictures — avec la permission du Museo Nazionale, Giovanni Vetti, David Lees. 66, 67 : Avec la permission du Musée américain d'Histoire naturelle — Brown Brothers. 68 : R. W. Decker. 69 : Herb Taylor (Pix). 70, 71 : Robert Wenkam, Camera Hawaii (Alpha Photo Associates, Inc.). 72, 73 : Jerry Y. Chong (Camera Hawaii). 74, 75 : N.R. Farbman excepté en haut à droite Robert Wenkam. 76 : Ralph Crane. 77 : Oliver E. Allen. 78 : C.W. Close (Shostal). 79 : Haroun Tazieff. 80 : Klopfenstein-Adelboden. 82 : Dessin par Adolph E. Brotman. 84 à 89 : Dessins par Frances W. Zweifel. 91 : O.P. Pearson. 92, 93 : Eliot Elisofon — Andreas Feninger, R. Daubenmire. 94 : Dessin par Kenneth Gosner. 95 : Eliot Elisofon. 96 : Emil Schulthess (Black Star) — Eliot Elisofon. 97 : Emil Schulthess (Black Star). 98, 99 : Eliot Elisofon. 100, 101 : Emil Schulthess (Black Star).

102 : Dr William Osburn — Georgia Engelhard (Monkmeyer Press Photos). 103 : Baron Hans von Meiss-Teuffen (Photo Researchers, Inc.), Dmitri Kessel — Harold Malde. 104, 105 : Eliot Porter. 106 : A.Y. Owen. 108, 109 : Dessins par Frances W. Zweifel. 111 : Dessin par Kenneth Gosner. 112 : Dessins par Frances W. Zweifel. 115 : Dessin par Kenneth Gosner. 117 : Van Nostrand (National Audubon Society). 118 : Wilford L. Miller (National Audubon Society). 119 : à gauche avec la permission du Muséum américain d'Histoire naturelle; à droite Cleveland P. Grant. 120, 121 : Fritz Siedel. 122, 123 : A.Y. Owen, Roger Tory Peterson. 124 : George Silk. 125 : Ed Park — Eliot Porter. 126, 127 : Allan D. Cruickshank (National Audubon Society), George Silk. 128 : Burt Glinn (Magnum). 131 : Graphique de Matt Greene. 132 : Dessin par Adolph E. Brotman. 135 : Dessin par Frances W. Zweifel. 139 : Dmitri Kessel. 140, 141 : Eliot Elisofon excepté en haut à droite Barry C. Bishop copyright World Book Encyclopedia. 142 : Eliot Elisofon. 143 : John Collier (Gamma) — Eliot Elisofon. 144 : Frank J. Scherschel. 145 : Dmitri Kessel. 146, 147 : Frank J. Scherschel excepté en bas à gauche Dmitri Kessel. 148, 149 : Douglas Scott. 150 : Fosco Maraini pour Monkmeyer Press Photos. 151 : Tse Ten-Tashi. 152 : Douglas Scott. 153 : C.S. Cutting — Tse Ten-Tashi. 154, 155 : Mrs. Homai Vyarawalla, C.S. Cutting. 156 : Riccardo Cassin. 159, 161 : Dessins par Mark A. Binn. 164 : Dessin par Matt Greene. 167 : Ewing Galloway. 168 : en haut à gauche Müller (Office de Tourisme suisse); en bas extrait de *Scrambles Amongst the Alps* publié par John Murray. 169 : Culver Pictures. 170 : European Picture Service. 171 : Ronald W. Clark — Picture Post Library (Black Star). 172 : Copyright Hiebeler. 173 : Bradford Washburn. 174, 175 : Olaf Soot, Howard Friedman pour SPORTS ILLUSTRATED, Bob et Ira Spring. 176, 177 : Carl Iwasaki. 178, 179 : Peinture par Bob Riley. 180 : Fosco Maraini (Monkmeyer Press Photos). 181 : Dr Charles S. Houston — Fosco Maraini (Monkmeyer Press Photos). 182, 183 : Dr Charles S. Houston. 184, 185 : Copyright Mount Everest Foundation.

Bibliographie

Cette bibliographie a été établie à l'intention des lecteurs français désireux d'approfondir le sujet.

Géographie et géologie

BEISER, Arthur, *Our Earth.* E.P. Dutton, 1959.

DESFONTAINES, M. Jean-Brunhes DELAMARRE, *Géographie universelle* (3 tomes). Larousse, 1960.

DUNBAR, Carl O., *Historical Geology* (2ᵉ édition), John Wiley and Sons, 1960.

FRISON-ROCHE, *les Montagnes de la terre* (tome 1). Flammarion.

GOGUEL, *Géologie de la France.* Presses universitaires de France, 1965.

JACOBS, J.A., D.R. RUSSELL et J.T. WILSON, *Physics and Geology,* McGraw-Hill, 1959.

POMEROL, Ch. et FOUET, R., *les Montagnes.* Presses universitaires de France, 1965.

RUDAUX, L., *la Terre et son histoire.* Presses universitaires de France, 1965.

SANDERSON, Ivan T., *l'Amérique du Nord.* Hachette, 1965.

TRICART, *Géomorphologie des régions froides.* Presses universitaires de France, 1963.

Faune des montagnes

BELVIANE, M., *Beaux mammifères.* Larousse, 1956.

BOURLIÈRE, F., *le Monde des mammifères.* Horizons de France, 1954.

COUTURIER, M., *le Gibier des montagnes françaises.* Arthaud, 1965.

DRIMMER, Frederick ed., *The Animal Kingdom* (3 tomes). Doubleday, 1954.

GILLIARD, Thomas E., *Les Oiseaux vivants du monde.* Hachette, 1962.

RIVOLIER, Jean, *Des Manchots et des hommes.* Arthaud, 1964.

SANDERSON, Ivan T., *Living Mammals of the World.* Hanover House, 1955.

STANEK, J.V., *le Monde animal en 1001 photos.* Hachette, 1964.

WALLACE, George J., *An introduction to Ornithology.* Macmillan, 1955.

YOUNG, J.Z., *The Life of Vertebrates.* Oxford University Press, 1952.

Flore des montagnes

ANSCIEAU, *le Familier de la montagne.* Presses de l'Ile de France, 1963.

CAILLEUX, A., *Biogéographie mondiale.* Presses universitaires de France, 1961.

DAUBENMIRE, R.F., *Plants and Environment* (édit. révisée). John Wiley and Sons, 1959.

GUILLAUMIN, A. et F. et C. MOREAU, *la Vie des plantes.* Larousse, 1961.

KLEIJN, *les Plantes sauvages.* Horizons de France, 1964.

LAWRENCE, George H.M., *Taxonomy of Vascular Plants.* Macmillan, 1960.

LEMMON, R.S. et C.C. JOHNSON, *Wildflowers of North America.* Hanover House, 1961.

PLAISANCE, G., *Demain la forêt.* S.E.D.E.S., 1964.

ROL, R. et TOULGOUAT, *Flore des arbres, arbustes et arbrisseaux des montagnes.* La Maison rustique, 1964.

SCHIMPER, A.F.W., *Plant Geography upon a Physiological Basis.* Hafner, 1960.

ULRICH, *la Nature protégée, espoirs et réalités.* Dernières nouvelles, 1963.

Les peuplades montagnardes

ALEXANDER, Robert J., *The Bolivian National Revolution.* Rutgers University Press, 1958.

ARVON, H., *le Bouddhisme au Tibet.* Presses universitaires de France, 1966.

BELL, Sir Charles Alfred, *Religion of Tibet.* Oxford University Press, 1931.

BENNETT, Wendell C., et Junius B. BIRD, *Andean Culture History.* American Museum of Natural History, 1960.

BUSHNELL, G.S., *le Pérou.* Arthaud.

FRISON-ROCHE, *les Montagnes de la terre* (tome 2). Flammarion.

GUILLERME, J., *la Vie en haute altitude.* Presses universitaires de France, 1954.

HAGEN, Tony, *Népal, royaume de l'Himalaya.* Séquoia, 1961.

MARAINI, F., *Tibet secret.* Arthaud, 1958.

MORAES, Frank, *The Revolt in Tibet.* Macmillan, 1960.

STEIN, R.A., *la Civilisation tibétaine.* Dunod, 1962.

STEIN, William W., *Hualcan : Life in the Highlands of Peru.* Cornell University Press, 1961.

Aventures et explorations

ALPE DE VENOSC D'OISANS, *les Grands poèmes de la Montagne,* Arthaud, 1965.

BROWN, Belmore, *The Conquest of Mount McKinley.* Houghton Mifflin, 1956.

BUHL, Hermann, *Lonely Challenge.* E.P. Dutton, 1956.

BURT, F. Allen, *The Story of Mount Washington.* Dartmouth University Press, 1960.

DOUGLAS, William O., *Beyond the High Himalayas.* Doubleday, 1953.

FERLET, R. et POULET, G., *Victoire sur l'Aconcagua.* Flammarion, 1955.

GEIGER, *Pilote des glaciers.* Arthaud, 1956.

HARRER, Heinrich, *Sept ans d'aventures au Tibet.* Arthaud, 1965.

HEIBELER, Tony, *Combat pour l'Eiger.* Arthaud, 1956.

HERZOG, Maurice, *Annapurna, Premier 8 000.* Arthaud, 1951.

HERZOG, Maurice, *l'Expédition de l'Annapurna.* Arthaud, 1953.

HILLARY, E. et DOIG, D., *6 mois à 6 000 mètres.* Plon, 1963.

HOUSTON, Charles S., *Montagne sans pitié.* Arthaud, 1954.

HUNT, General Sir John, *Victoire sur l'Éverest.* Hachette.

LOWE, George, *From Everest to the South Pole.* St. Martin's Press, 1961.

LUNN, Arnold, *A Century of Mountaineering, 1857-1957.* Macmillan, 1959.

MARAINI, Fosco, *Karakoram.* Presses de la Cité, 1963.

ROUDÈNE, Alain, *les Aventuriers des sommets.* André Bonne, 1954.

TERRAY, Lionel, *les Conquêtes de l'inutile : des Alpes à l'Annapurna.* Gallimard, 1961.

TILMAN, Harold William, *Snow on the Equator.* Macmillan, 1938.

TRAYNARD, Ph. et Cl., *101 courses à ski.* Arthaud, 1965.

ULLMAN, James Ramsey, *Age of Mountaineering.* J.B. Lippincott, 1954.

WHYMPER, Edward, *Scrambles Amongst the Alps in the Years 1860-69* (édition révisée). Transatlantic, 1960. En français : *Escalades dans les Alpes 1860-69,* édition épuisée.

Généralités

ASIMOV, Isaac, *The Bloodstream : River of Life.* Collier Books, 1961.

BATES, D.R., ed., *The Earth and Its Atmosphere.* John Wiley and Sons, 1957.

BERTIN, L., *la Terre, notre planète.* Larousse, 1956.

BRION, M., et SPITH, E., *Pompeï et Herculanum.* Arthaud, édition épuisée.

GAMOW, G., *Biographie de la terre.* Dunod, 1957.

GAUSSEN, H. et BARUEL, P., *Montagnes.* Horizons de France, 1963.

HERZOG, M., *la Montagne.* Larousse, 1960.

LANE, Ferdinand, *l'Histoire des montagnes.* Fayard, 1954.

PEARSALL, W.H., *Mountains and Moorlands.* Collins, Londres, 1960.

SCHENK, G., *la Terre.* Arthaud, 1966.

SITWELL, Sacheverell, *Golden Wall and Mirador.* World, 1961.

SYNGE, Patrick, *Mountains of the Moon.* Lindsay Drummond, Ltd., Londres, 1937.

TAZIEFF, Haroun, *Les Volcans.* Paris, Delpire, 1961.

ULLMAN, James Ramsey, *The Other Side of the Mountain.* Carrick and Evans, 1938.

Index

✕✕✕✕✕

Composition par Draeger Frères, Paris
Imprimé en Hollande par Smeets Lithographers, Weert
Relié par Proost and Brandt N.V., Amsterdam.
Printed in Holland